J.A. Martínez Lapeña
Elías Torres Tur
Arquitectos

Fotografías: Ferran Freixa

Piscinas Privilegiadas

"Este proyecto fue un reto. Teníamos que lograr el equilibrio entre las piscinas y su entorno, la playa y el mar. Para establecer una relación visual entre el mar y las piscinas, se elevó el nivel de estas.

La elección de los materiales fue primordial. Para las dos piscinas escogimos **Rosa Gres**, un material competitivo y que cumple la normativa Europea EN que se requiere para las piscinas públicas."

SERVICIOS ROSA GRES

Librería Autocad en CD.Rom.

Servicio de diseño asistido por ordenador.

Asesoramiento técnico.

ROSA GRES

CERAMICA SUGRAÑES, S.A.
Ctra. de Sant Cugat, Km. 3 08290 Cerdanyola. Barcelona. España
Tel.(93) 586.30.60 Fax (93) 586.30.61.
E-mail:rosa_gres@bcn.servicom.es

El futuro hoy

Dé rienda suelta a sus ideas

La realización de proyectos requiere libertad en su creación y productividad en su documentación. Por ello, ALLPLAN *FT* sigue el método natural de trabajo de los profesionales de la construcción. La utilización es extraordinariamente sencilla e intuitiva, y el rendimiento "sobresaliente" como nunca.

■ **La nueva dimensión**
ALLPLAN *FT* es el nuevo sistema, de CAD para la construcción, de Nemetschek.

ALLPLAN *FT* trabaja con conceptos y elementos constructivos, habituales para el profesional de la construcción, facilitándole de este modo el uso del CAD. Cualquier cambio en el proyecto se refleja automáticamente en todos los planos afectados y en las mediciones.

■ **El sistema completo para la construcción**
ALLPLAN *FT* es una ayuda determinante en todas las fases del proyecto. Desde la primera idea hasta la delineación, la medición, la presentación y la ejecución de la obra, necesita un único sistema: ALLPLAN *FT*.

Aproveche hoy la tecnología del futuro. Contacte con Nemetschek y se convencerá personalmente de las ventajas de ALLPLAN FT

ALLPLAN *FT*

Future Technology

ALLPLAN. Producto de Alto Valor Añadido
UIA Barcelona 96

mida

Agosto 96   Marzo 97

Nemetschek España
Paseo de la Castellana, 149
28046 Madrid
Tel. (91) 571 48 77
Fax (91) 571 52 95
www.nemetschek.es
allinfo@nemetschek.es

  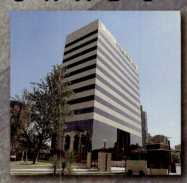

Sistema GLASS *by* KLEIN

Mecanismos para modular espacios, mediante hojas de vidrio fijas y deslizante

GLASS es el sistema de mecanismos KLEIN más versátil para deslizar hojas de vidrio.

Formado por distintos modelos, cada uno de ellos, capaz de resolver cualquier proyecto con láminas de vidrio, hasta 180 kg por hoja y con gruesos de hasta 12 mm.

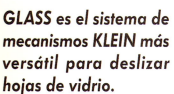

Roll GLASS

KLEIN

Escorial, 131-13
08024 BARCELON
Tel. 93. 213 12 0
Fax 93. 284 15

Tricalc, sistema integrado de cálculo espacial de estructuras tridimensionales para Windows

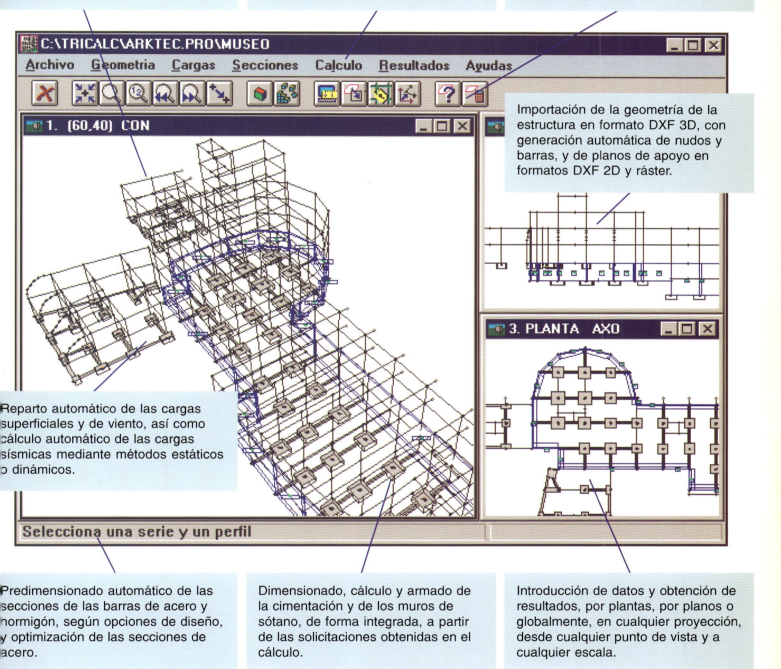

LAND ARCH

PREVIA *PREVIEW*

6   **100 Wozoco's**
Amsterdam
MVRDV

20   **Edificio de viviendas** *Apartment building*
Paris
FRANCIS SOLER

30   **Estudio multimedia** *Multimedia studio*
Oogaki, Gifu
KAZUYO SEJIMA, RYUE NISHIZAWA

POSICIÓN *POSITION*

42   **Tan real**
So real
JONATHAN HILL

ARGUMENTO *ARGUMENT*

50   **LAND ARCH. Paisaje y arquitectura,
nuevos esquejes**
Landscape and architecture, fresh shoots

54   **ADRIAAN GEUZE. WEST 8
Paisajes verticales** *Vertical landscapes*

56   **1:00 PM Square**
New York

60   **Parc vertical**
New York

62   **Wet Rock**
New York

64   **City Light Spring**
New York

66   **Riem Park**
Munich

70   **ENRIC RUIZ, BEA GOLLER. CLOUD 9
Think green, show black & white**

72   **Escuela de bomberos en el Tirol**
Firemen school in Tyrol

78   EDOUARD FRANÇOIS & DUNCAN LEWIS

80   **Estación depuradora** *Water purifying plant*
Nantes

84   **Ampliación de una escuela** *Extension of a school*
Thiais-Paris

88   **Remodelación de unas oficinas**
Refurbushing of an office building
Rouen

90   **Casas rurales** *Rental homes*
Jupilles

96 ROCHE, DSV & SIE
Situación *Situation*

100 Rehabilitación de un edificio *Refurbushing of a housing block*
Sarcelles

102 Ordenación paisajística *Landscape design*
Maïdo, Isla de La Reunión

106 Casa entre los árboles *House among the trees*
La-Croix-Saint-Ouen

109 ¿Deberían tener los árboles estatuto jurídico?
Should trees have standing?
PHILIPPE RAHM

ITEMS *ITEMS*

116 "Los tres cerditos" convenientemente revisados
«The three little pigs» conveniently brought up-to-date

118 Casas de los guardas *Porters' lodges*
Otterlo, Hoenderlo, Arnhem
MVRDV

128 Sobre GucklHupf *About GucklHupf*
ARNO RITTER

130 GucklHupf
Mondsee (Austria)
HANS PETER WÖRNDL

136 Cabaña *Straw hut*
Niamey (Nigeria)
ANNE LACATON, JEAN PHILIPPE VASSAL

138 Casa Latapie *Latapie house*
Floriac
ANNE LACATON, JEAN PHILIPPE VASSAL

PANTALLA *SCREEN*

142 Yves Brunier. Narrador *Yves Brunier. Narrator*
ISABELLE AURICOSTE

144 Veinticuatro ventanas. Un panorama. Setenta y dos dudas
Twenty-four windows. A panorama. Seventy-two doubts
FERNANDO PORRAS-YSLA

TÉCNICA *TECHNICS*

154 Mesurar la muntanya. El caminito del rey
Measuring the mountain. The little path of the King
LORENZO FERNÁNDEZ ORDÓÑEZ

CRÍTICA *CRITICS*

162 Surcos. Las formas del paisaje reciclado
Furrows. The shapes of recycled landscape
GEORGE HARGREAVES

170 La ciudad de las 1.000 geografías *The city of a 1.000 geographies*
VICENTE GUALLART

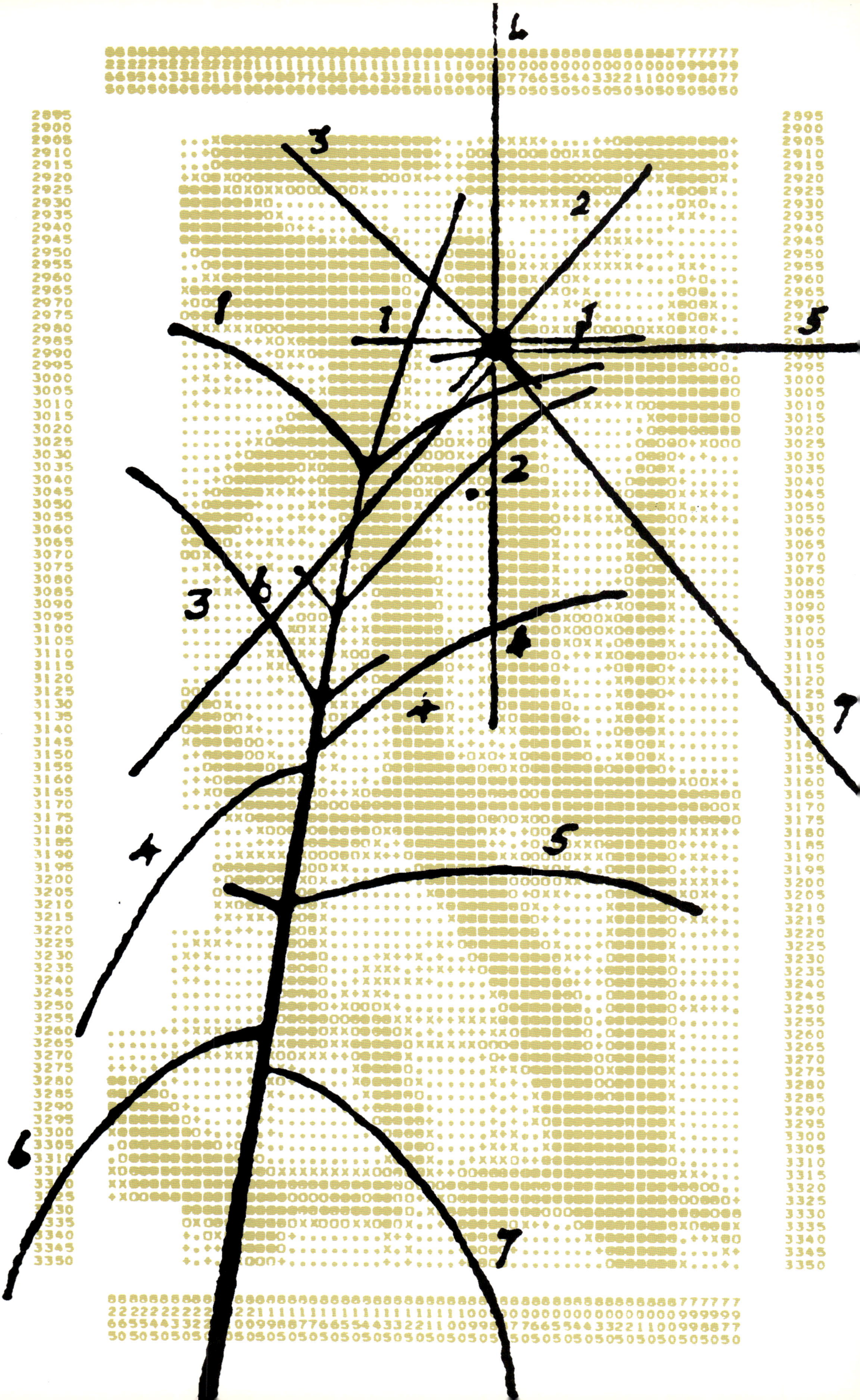

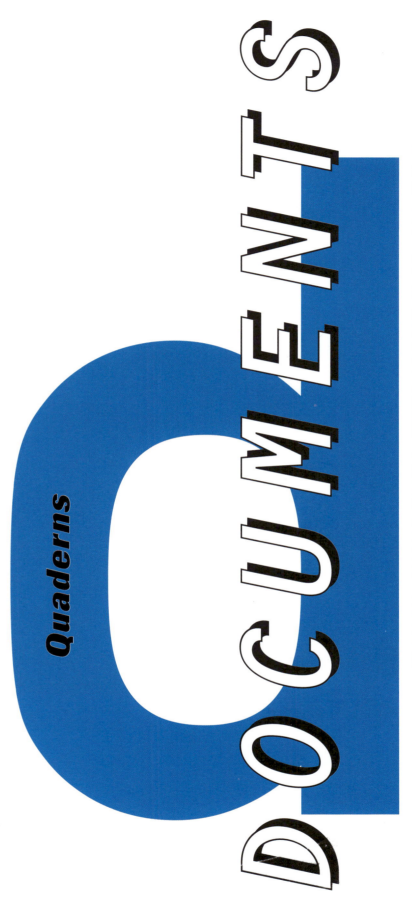

Quaderns

DOCUMENTS

PREVIA *PREVIEW* Obres *Works* **MVRDV, Francis Soler, Kazuyo Sejima & Ryue Nishizawa**

POSICIÓN *POSITION* **Jonathan Hill**

ARGUMENTO *ARGUMENT* **Land Arch. West 8, Cloud 9, François & Lewis, Roche DSV & Sie**

MVRDV

100
Wozoco's

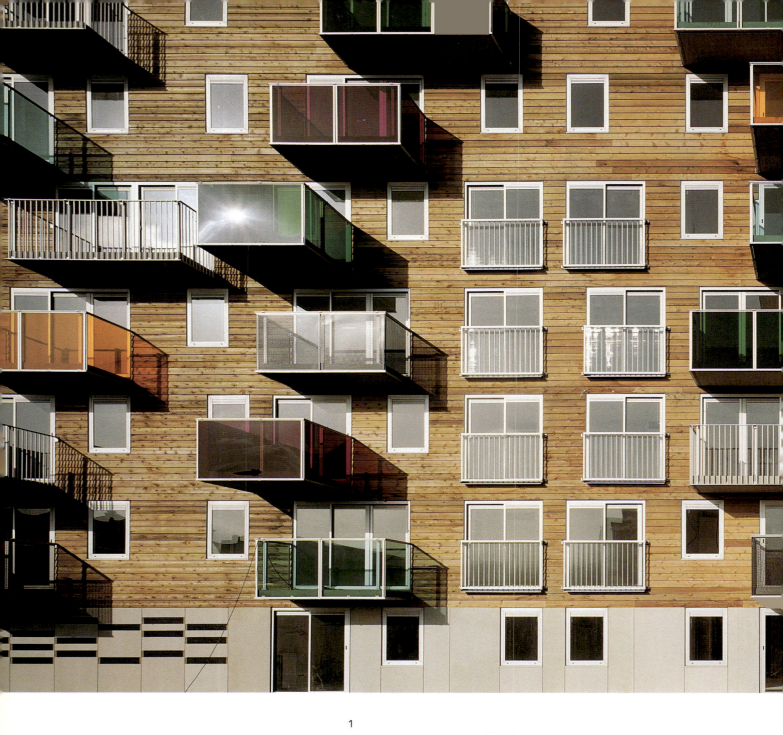

1

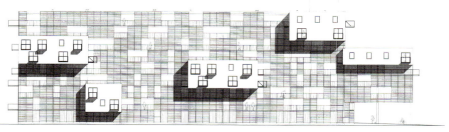

1. Alzado norte. North façade
2. Alzado sur. South façade
**3. Alzados laterales oeste y este,
con los alzados de los voladizos**
West and east façades, with
the elevations of the cantilevered
volumes

2

3

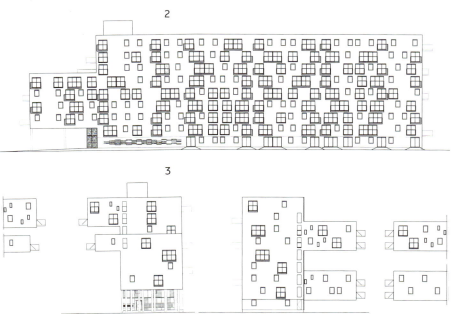

Emplazamiento. Site **Amsterdam** – Arquitectos. Architects **Winy Maas, Jacob van Rijs, Nathalie de Vries** – Colaboradores. Collaborators **Willem Timmer, Arja Mulder, Frans De Witte DGMR raadgevend ingenieurs** (Estructuras. Structure) **Jac Bisschops** (Artista colaborador. Collaborating artist) – Constructora. Contractor **Intervam BML, Pieters Bouw Techniek** Proyecto. Projet **1994** – Ejecución. Construction **1997** – Fotografías. Photographs **Jordi Bernadó, Ramon Prat**

Viviendas para la tercera edad

En una densificada ciudad-jardín en la parte oeste de Amsterdam (*Westelijke Tuinsteden*) era necesario ubicar un bloque de 100 apartamentos destinado a personas mayores de 55 años. La zonificación del entorno, así como la orientación norte-sur del edificio, hacían imposible distribuir los 100 apartamentos en un solo bloque; únicamente cabían 87. Los 13 restantes se disponen colgados literalmente de la fachada norte del bloque con ménsulas de acero, de manera que cada apartamento suspendido obtiene iluminación a través de las fachadas este y oeste (en los Paises Bajos no está permitido construir apartamentos orientados a norte). Así, la planta baja —característica de estos barrios— puede permanecer tan abierta y verde como sea posible, manteniendo de esta manera la densificación prototípica de estas áreas.

Houses for eldery people

Set in the increasingly dense Garden City in the western area of Amsterdam (Westelijke Tuinsteden), a slab of 100 apartments for "55-plussers" had to be placed. The existing zoning envelope and the north-south orientation of the building made it impossible to position the 100 apartments in the slab; it would only hold 87. The remaining 13 were cantilevered from the north facade of the slab with steel trusses so that each hanging apartment gets sun on an east- or west-facing facade (in Holland it is not acceptable to build north-facing apartments). In this way the ground plan, characteristic of these neighbourhoods, remains as open and green as possible. The prototypical level of density for these areas is stipulated.

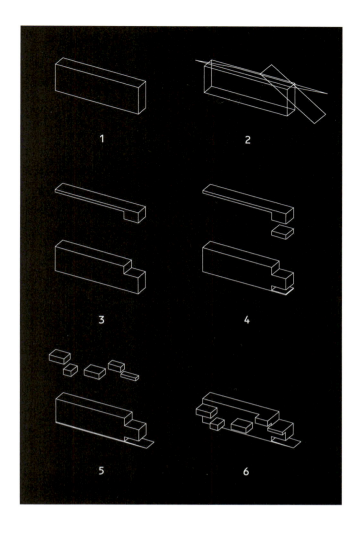

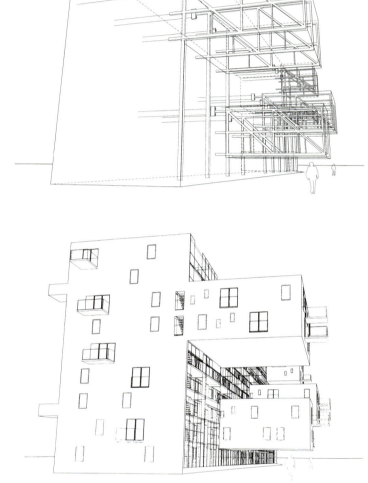

Modificaciones en el volumen construido. Para conseguir un mejor asoleo de las edificaciones vecinas, se decidieron emplazar sólo 87 de las 100 viviendas en el bloque. Ubicar las 13 viviendas restantes separadamente hubiera reducido en exceso el espacio libre. Colocando las unidades en voladizo a lo largo de la fachada norte se articula ésta de manera contundente, combinando la orientación este-oeste de las unidades en voladizo con la norte-sur de las viviendas del interior del bloque.

Modifications on the built volume. To ensure adequate sunlight into the surrounding buildings, only 87 of the 100 units could be realised within the block. Would the remaining 13 dwellings be placed elsewhere on the site, the open space would have been further reduced.
The solution came by "cantilevering" them along the north façade.
It provides a welcome articulation of the street aspect, combining at the same time the east-west orientation of the cantilevered types with the north-south orientation of the dwellings inside the block.

Predeterminando la cantidad de particiones interiores en el tipo básico de vivienda en el bloque se consigue economizar alrededor del 7-8% por unidad, cosa que es suficiente para compensar el sobrecoste del 50% en las viviendas en voladizo. By pre-determining the number of inner walls of the basic type of the block, 7 to 8% of the cost could be saved, which was enough to compensate for the 50% more expensive cantilevered units.

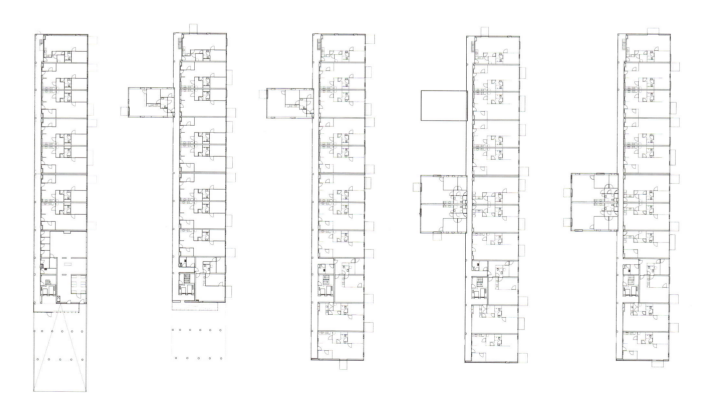

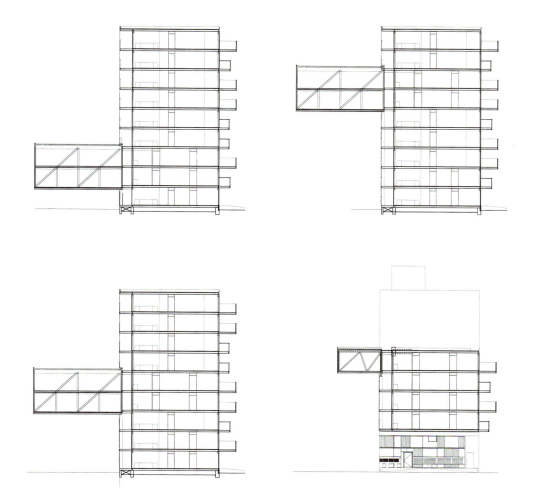

1. **Secciones transversales por los voladizos** Cross sections through cantilevers
2. **Plantas. La austera tipología de bloque con corredor mejora sensiblemente con las perspectivas cambiantes en cada nivel.**
   Layouts. The spartan gallery flat typology becomes acceptable by means of the changing perspectives of each level

FRANCIS SOLER

Edificio de viviendas
Apartment building

Series without end

Our first task was to create a series of stages,
freed from the constraints of habitual structure, onto
which we projected, as onto a screen, a kind of strange,
singular, modern theatre in which the acts of
a play would be simultaneously played out without
ever disclosing the end.
We provided the tenants with the practical means for
their lifestyles and forms of expression,
allowing the individuals to organize their days and
nights in the comfortable apartments they
were given, in the knowledge that they could fit them
out as they pleased.
We had been careful to stratify all the available space
along the street to create a kind of "milles-feuilles"
in light cement, underpinned only by a longitudinal wall
and a series of columns in the facade.
We regrouped different-sized apartments
around one lift, as we considered this to be good
for the building's community life.
The apartments all received plenty of sunlight and
had several views; all had a large living room, at least
one large bedroom and, above all, a proper kitchen.
Gazes, the sun, day and night thus came into play
like so many candidates for scenario writers, and the
vertical layers we proposed to the tenant, in their
multiple combinations, became as many answers
to the questions asked.
The first layer, the most intimate and innermost,
showed a strange resemblance to a
photographic gelatine printed with figurative scenes
taken from early painting.
The *candelabros*, standard lamps, lights and the glow
of televisions would light up these gelatines from inside,
like a myriad boxes of lights bringing out the tones
of their chromatic ranges.
The second, strictest layer coming straight after
the gelatines was none other than a banal succession of
glass panels, perfectly transparent from floor to ceiling.
Its purpose was a simple one. First of all it had merely
to provide the tenants with the climatic limit
to their apartments, at the same time giving as much
light as possible and the largest possible views.
And then disappear.
The unpredictable, uncontrollable effects
of reflections on the glass were to put the finishing
touches to the work.
The third, lightest and outermost layer first restores
the restraint on the sun and the eyes of the curious,
in addition to one of our recent dreams, which was
to create the illusion that a building, entirely shrouded
in fabric, could demystify the legendary massiveness
attached to architecture.
This could be the rational development of the idea
of contributing a light touch to the alignment of
the street by giving the project a certain immateriality.
We protected the finest spaces in the apartments
and their drawn-out balconies from the sun.
This is perhaps not a building in the traditional
sense of the word, but rather a contemporary work
which transposes into the real world a kind of
accumulation of images in perpetual motion which
bear witness, in time, to the importance of certain
abstract, ephemeral forms of architecture
in the construction of our cities, on the threshold
of the twenty-first century.

Series sin fin

Nuestro primer trabajo consistía en crear una sucesión de
plataformas, liberadas de las restricciones estructurales
habituales, y de proyectar, como si de una pantalla se tratase,
una especie de teatro moderno, extraño y singular, en el
que se representasen simultáneamente los actos de una obra
cuyo final jamás se rebelase.
Facilitamos a los inquilinos los instrumentos prácticos de sus
modos de vida y de sus expresiones, de modo que, cada
uno de ellos, pudiese organizar sus días y sus noches, en la
cómoda vivienda que poníamos a su disposición, consciente
de que podría acabar de remoderlalo a su gusto.
En primer lugar, nos habíamos previamente ocupado de
estratificar la totalidad del espacio disponible que da a
la calle, para realizar una especie de "mil hojas" de cemento
claro, sostenido únicamente por un muro longitudinal
y por algunos pilares en fachada.
Alrededor de un mismo ascensor, reagrupamos viviendas
de diferentes tamaños, porque nos parecía que era positivo
para la propia vida del edificio.
Todas las viviendas tenían un buen grado de asoleo y diversas
vistas. Todas ellas tenían una gran sala de estar, al menos
una habitación grande y sobre todo una auténtica cocina.
Las miradas, el sol, el día y la noche eran todos ellos candidatos
para la escritura de los escenarios, y las capas verticales
que proponíamos al inquilino se convertían, en sus múltiples
combinaciones, en respuestas a las cuestiones planteadas.
La primera, la más íntima y la más interior, se parecía
extrañamente a una gelatina fotográfica impresa con escenas
figurativas que se hubieran podido tomar prestadas
de las pinturas antiguas.
Los candelabros, las lámparas, así como los halos de la
televisión podrían iluminar, desde el interior, estas gelatinas
como una infinidad de cajas de luz que resaltan los tonos de sus
gamas cromáticas.
La segunda, la más estricta y situada a continuación, delante
del plano de gelatina, se trataba tan sólo de una sucesión
de paneles comunes de vidrio, completamente transparentes,
del suelo al techo.
Su misión era sencilla. Se contentaría, en un primer lugar, con
aportar al inquilino el límite climático de su vivienda, al tiempo
que permitiría la entrada máxima de luz y vistas al exterior.
A continuación, se esforzaría por desaparecer.
Los efectos imprevisibles e incontrolables de los reflejos
del vidrio darían el toque maestro a la obra.
La tercera, la más ligera y la más prominente, daba respuesta,
en un primer lugar, a las molestias ocasionadas por el sol
y los curiosos, al mismo tiempo que a uno de nuestros sueños
recientes que consistiría en provocar la ilusión de que
un edificio, totalmente envuelto de lona, podría desmitificar
el legendario carácter de macizo vinculado a la arquitectura.
La idea de contribuir, de un modo ligero, a la alineación
de la calle, confiriendo al proyecto una cierta inmaterialidad,
podría encontrar en este punto un desarrollo racional.
Protegíamos del sol los espacios de mayor belleza de
las viviendas y sus balcones corridos.
Quizá, no se trate tampoco en este caso de un edificio en
el sentido tradicional de la palabra, sino de una obra
contemporánea que transpondría a la realidad una especie
de acumulación de imágenes en perpetuo movimiento, testigos
en el tiempo, de la importancia de determinadas formas
abstractas y efímeras de la arquitectura en la construcción
de nuestras ciudades, en los albores del siglo veintiuno.

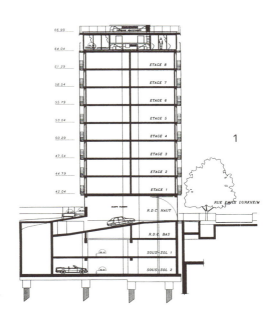

1

Emplazamiento. Site **París** – Arquitectos. Architects **Francis Soler, Jérôme Lauth, Vicent Jacob**
Colaboradores. Collaborators **Khephren** (Consultor de estructuras. Structural consulting), **Alto Ingenierie Jean Paul Lamoureux** (Consultor acústico. Acoustic consulting) – Constructora. Contractor **Bouygues Bâtiment**
Proyecto. Project **1995** – Ejecución. Construction **1997** – Fotografías. Photographs **N. Borel, R. Prat, J. Bernadó**

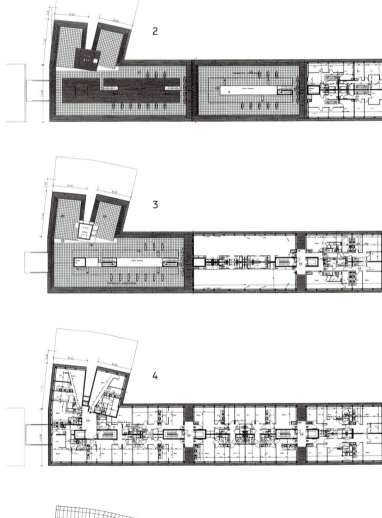

1. **Sección transversal**
   Cross section
2. **Planta novena**
   Ninth floor plan
3. **Planta octava**
   Eighth floor plan
4. **Planta tipo**
   Typical floor plan
5. **Planta baja**
   Ground floor plan

**Originalmente, el proyecto ofrecía una gran libertad y versatilidad en la ocupación del espacio habitable.
A partir de este esquema modular no se establecería ninguna partición previa, permitiendo al cliente poder escoger a voluntad los módulos de espacio y los motivos de fachada que deseara para su vivienda.**
The project offered originally a great freedom and versatility for the occupation of the living spaces. A modulated layout with no previous partitions left the future occupants choose freely the number of modules of space and the façade elements for each apartment.

Motivos elementales de fachada, con la disposición definitiva en el alzado
Elemental motifs, with its final layout shown on the street felevation

motif A1   motif A2   motif D1   motif D2   motif C1   motif C2

motif E1   motif E2   motif F1   motif F2   motif G1   motif G2

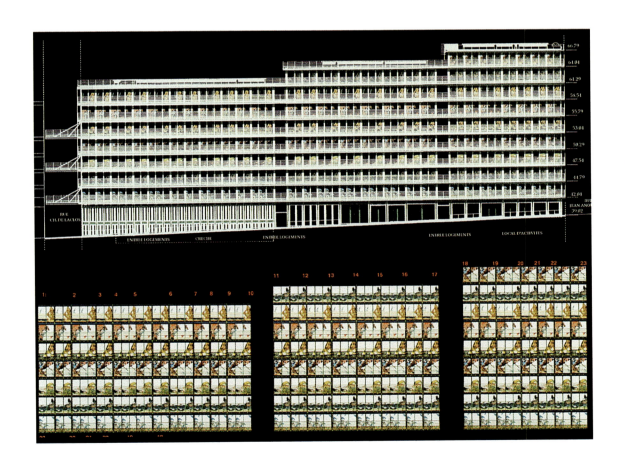

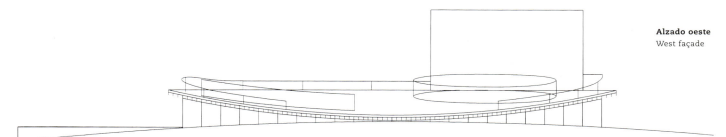

Alzado oeste
West façade

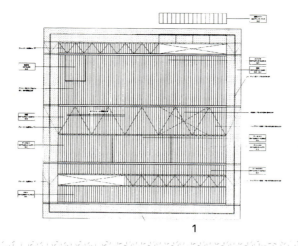

1

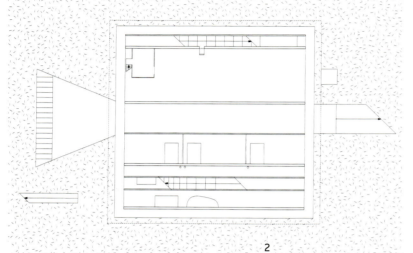

2

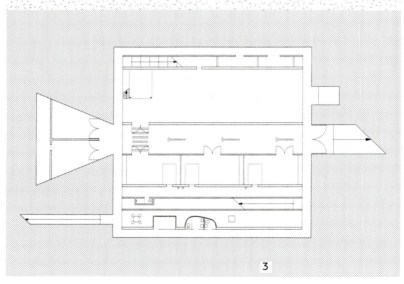

3

1. **Planta de la cubierta de acceso**
   Access roof plan
2. **Planta nivel superior**
   Upper level plan
3. **Planta nivel inferior**
   Lower level plan
4. **Sección norte-sur**
   North-south section

4

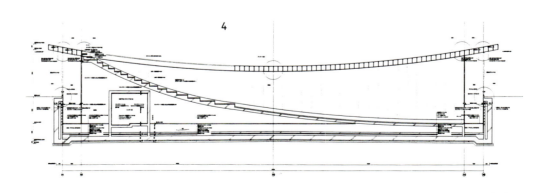

Emplazamiento, Site **Oogaki (Prefectura de Gifu, Japón)** – Arquitectos. Architects **Kazuyo Sejima, Ryue Nishizawa**
Colaboradores, Collaborators **Toshihiro Yoshimura, Yoshitaka Tanase** (Equipo asistente. Assistant team), **Sasaki Structural Consultants** (Consultor de estructuras.
Structural consulting), **System Design Laboratory, ES Associates, Otaki E&M Consultant** (Instalaciones. Mechanical engineering)
Proyecto. Project **1995** – Ejecución. Construction **1996** – Fotografías. Photographs **Jordi Bernadó, Ramon Prat**

En la galería fue necesario
una altura más grande, de
manera que para conseguir
una cierta continuidad
con el entorno se hundió el
volumen respecto
a la cota original del terreno.
The gallery space called for
higher ceilings, which
dictated sinking the volume
below the original level
of the plot to allow for a
degree of continuity with the
surroundings.

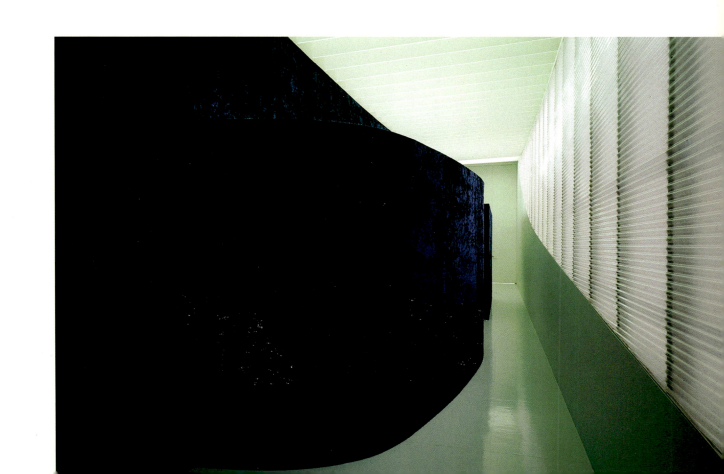

Tan **real**
So **real**

Los Angeles is a city of ghettos, wealthy or impoverished islands defined and patrolled by their occupants. The police ensure that the diverse economic and ethnic groups are isolated from each other and the freeways provide routes through the metropolis, so that the inhabitants of the city never enter hostile territory. The freeway in Los Angeles is analogous to the road which linked West Berlin to East Germany before the unification of Germany. It is an umbilical cord between related bodies. In Los Angeles the freeways are the "centre" of the city. Dennis Hopper's house in Los Angeles is located in Venice. During the day, the beachfront at Venice unconsciously parodies the image of Los Angeles propagated in films. Absurdly sculpted, sun-lit bodies lumber along the beach. If this is the land of opportunity, why does everyone look like a cartoon? At night, the boardwalk is a violent no-go area. Movie stars do not live in Venice. Hopper is in the wrong ghetto. He is in alien, hostile territory. Consequently, his house is a high security container for art with a windowless facade and surveillance cameras patrolling the exterior. Los Angeles is the city of *Blade Runner, Terminator* and *Neuromancer*. It is the city of science fiction in the present. Los Angeles turns an icon into a T-shirt, a political action into the name for a perfume. The whole grinding process of commercialization reduces all phenomena to commodities emptied of everything except their financial value. Ideas, icons and bodies are reduced to the level of capitalist detritus. Radicality is a product for sale. Los Angeles is an analogue for architecture, in that the discipline is divided into a series of discrete practices or ghettos that prevent any overview of architectural praxis. The fragmentation of architecture into seemingly autonomous, mutually exclusive and carefully controlled areas of activity is compatible with the regulation of society required by capitalist ideology. In Los Angeles the police and the inhabitants of each ghetto patrol and contain the boundaries of the ghettos. In architecture, the members of the self-regulatory mechanisms such as professional bodies, educational institutions and architectural imagines are the police force excluding attacks on the "integrity" of the discipline. The established procedures for the production of work within the discipline restrict the form of architecture, and the limits of architecture are defined through its visual and verbal language. The entire discipline of architecture is analogous to the whole of Los Angeles and the professional body is its police force. The architectural photograph performs a similar role to the one undertaken by the freeway in Los Angeles. The purpose of the photograph in architecture and the freeway in Los Angles is to prevent unwanted connections (and permit desirable ones), to deny and conceal differences, to reinforce the apparent autonomy of each ghetto. However, the most obvious and important action of the photograph is to empty architecture of its inhabitants. In capitalism, every sort of desire from the political to the sexual can be displaced into commodities to become a source of profit.[1] The major currency in contemporary architecture is the image: the photograph, not the building. The photograph squashes and edits contradictions, so as to present a de-contextualized, commodifiable image of architecture ready for appropriation across the world. Photographs in architectural magazines are pretty

meaningless because they all have similar characteristics.
The same blue sky, the same absence of people.
The profusion of architectural projects and balmy weather
turn the shiny pages of the architectural magazine into
a sanatorium for architects, the architect being the patient
and the projects the medicine. Of course, withdrawal
symptoms may be suffered after we leave the magazine's
reassuring embrace, but under its bright skies
we can simulate the clean fresh air and brisk healthy
exercise that are important components of life
in the mountain sanatorium. Is the pain in your body,
or in your head? "The only difference between the madman
and me is that I am not mad".[2]
The pre-eminence of the photograph in contemporary
architecture is exemplified in the Barcelona Pavilion.
The Pavilion was built for an exhibition in 1929. It was,
therefore, constructed and demolished in the same year.
Nine years ago, it was rebuilt from photographs.
On the cover of the issue of *Blueprint* published to celebrate
this event, an errant piece of late twentieth century
technology, a rubberised expansion joint, droops out of the
gap between the sheets of travertine. To add further irony,
a post-war concrete building stands directly in front
of the Pavilion obscuring the latter's relations with its
original context. Can you imagine the frantic contortions
of the photographer to exclude the opposite building
from photographs of the Pavilion?
Between 1929 and 1986, and while the Pavilion did not exist,
it was probably the most copied building of the twentieth
century. The photograph was being copied, not the building.
To imagine the extent of the appropriation, we just need
to visualize the Pavilion with a few petrol pumps on its
forecourt, a cashpoint machine in the wall, or a barbecue
by the pool. The Barcelona Pavilion has circulated the world
as an image It confirms the dominance of the visual over
the material in contemporary architecture.
The camera is supposedly our tool, but it can be a highly
malicious one, controlling us as much as we control it.
Terms such as "the photograph never lies" imply that
the camera is neutral when, like all technologies, it is
historical and cultural. In 1832, Victor Hugo stated in *Notre
Dame de Paris* that "the book will kill the building".[3]
If I extend this argument further, the film killed the book and
the computer killed the film, each successive medium
denuding the former of its role and purpose.[4]
 For architecture, the crucial moment in this process
occurred when Albert Speer built the Nazi stadiums as sets
for Leni Riefenstahl's film *Triumph of the Will*,[5]
a development confirmed and even enjoyed by Speer when
he referred to the 1937 rally at the Nuremberg Zeppelin
field: "I feel strangely stirred by the fact that the most
successful architectural creation of my life is a chimera,
an immaterial phenomenon".[6] However, the photograph,
film and computer are not the problem. The question is,
how are these machines used?[7]
The camera is the most influential and powerful architectural
machine. The architectural photograph suggests a vacuous
and immaterial, empty and unoccupied world, that is literally
hard to grasp. It reinforces and affirms architects' reaction
to all technology. Architects are often mesmerized by
technology because they see it as the other, an all-powerful
corporate machine to which culture is enslaved.
The absence of people from the architectural photograph is

El mismo cielo azul, la misma ausencia de gente. La profusión de
proyectos arquitectónicos y de climas agradables convierten las
relucientes páginas de la revista de arquitectura en un sanatorio
para arquitectos. El arquitecto es el paciente y los proyectos la me-
dicina. Naturalmente, podemos sufrir un síndrome de abstinencia
después de abandonar el abrazo reconfortane de la revista, pero
bajo sus cielos brillantes podemos simular el aire limpio y fresco
y el saludable ejercicio que son componentes importantes de la vida
en los sanatorios de montaña. ¿Qué te duele, el cuerpo o la cabeza?
"La única diferencia entre un loco y yo es que yo no estoy loco".[2]
La preeminencia de la fotografía en la arquitectura contemporánea ha sido ejemplificada por el Pabellón Mies van der Rohe de
Barcelona. El Pabellón se construyó para la Exposición Universal
de 1929. Fue, por tanto, construido y derribado el mismo año.
Hace nueve años fue reconstruido a partir de fotografías.
En la portada del número de *Blueprint* que se publicó para conme-
morar este acontecimiento, aparece una pieza errante de la
tecnología de finales del siglo XX, una junta de dilatación recubierta de caucho, en el encaje entre las láminas de travertino. Para más
ironía, justo al lado del Pabellón había un edificio de hormigón
de la posguerra que oscurecía la relación con el contexto original.
¿Podéis imaginar las desesperadas contorsiones del fotógrafo para
excluir el edificio del frente en las fotografías hechas al pabellón?
Entre 1929 y 1986, cuando el Pabellón no existía, fue probable-
mente el edificio más copiado del siglo XX. Pero lo que se copiaba
era la fotografía, no el edificio. Para imaginarnos el alcance de
esta apropiación sólo tnemos que visualizar el Pabellón con unos
cuantos surtidores de gasolina en el patio delantero, un cajero
automático en la pared o una barbacoa junto al estanque.
El Pabellón de Barcelona ha recorrido el mundo como una imagen,
confirmando el predominio de lo visual sobre lo material en
la arquitectura contemporánea.
Se supone que la cámara es nuestra herramienta, pero puede
llegar a ser una herramienta muy maligna y controlarnos tanto como nosotros a ella. Expresiones como "el fotógrafo nunca miente"
implican que la cámara es neutral, pero −como todas las tecnologí-
as− se trata de un instrumento histórico y cultural. En 1832 Victor
Hugo afirmó en *Notre Dame de Paris* que "El libro matará el edificio".[3] Si continuamos aplicando la misma lógica, el cine mató el
libro y el ordenador ha matado el cine. Cada medio sucesivo despoja
al anterior de su función y de su propósito.[4] En arquitectura,
el momento crucial de este proceso tuvo lugar cuando Albert Speer
construyó los estadios nazis como escenarios para la película de
Leni Riefenstahl *El triunfo de la voluntad*.[5] Un proceso que Speer
confirmó −y del cual incluso disfrutó− cuando se refería a la
concentración de 1937 en el Nuremberg Zeppelinfield: "Me sentí
extrañamente conmovido por el hecho de que la creación arquitectónica de más éxito de mi vida fuese una quimera, un fenómeno
inmaterial".[6] No obstante, la fotografía, la película y el ordenador no
son el problema. La cuestión es saber cómo emplear estas máquinas.[7]
La cámara es el instrumento arquitectónico más poderos e influ-
yente. La fotografía arquitectónica sugiere un mundo vacuo e
inmaterial, vacío y desocupado, que literalmente es difícil de captar.
Refuerza y afirma la reacción de los arquitectos ante la
tecnología. A menudo los arquitectos se sienten cautivados por
la tecnología porque la perciben como lo otro, como una máquina
colectiva y todopoderosa que ha esclavizado la cultura.
La ausencia de gente en la fotografía de arquitectura es la manifestación de una incertidumbre y de una ansiedad profundas en relación con el papel de la gente y de la tecnología en arquitectura.[8]
Los adversarios de Harrison Ford en Blade Runner encarnan este
dilema. Ford es Deckard, un asesino entrenado para reconocer
y destruir a cuatro replicantes que son simulaciones casi perfectas

the manifestation of a deep anxiety and uncertainty concerning the role of people and technology in architecture.[8] Harrison Ford's adversaries in *Blade Runner* embody this dilemma. Ford is Deckard, an assassin trained to recognise and destroy a trio of replicants who are near-perfect simulations of humans. But if it is so hard to identify the difference between victim and assassin, why do we assume that Deckard is human? Are the powers of technology over the body already complete?

Blade Runner is of course a film, but if a film can project real dilemmas in another guise, how prophetic is it? Medical developments now permit the cloning of a sheep, which is, in itself a comparatively simple moral issue because we view animals as property to be farmed and consumed. Society relies on a sense of moral superiority that permits us to exploit other "lesser" creatures without undue remorse. Would the status of a human clone be equal to that of the "original", or will society mimic *Blade Runner* and define a rigid hierarchy, maybe with a subtle moral side-step that permits the clone to be farmed for a "good" cause such as medical research? Physical bodies, tactile architecture and tangible sites may remain, but what do they mean to us when we can clone a human and watch a war on TV?

However, the main aim of this text is not to put people back into the photograph, but to put them back into architecture as a central concern of the discipline.[9] Georges Bataille interpreted the storming of the Bastille as a literal and symbolic attack on architecture's authoritarian role in society, because the anthropomorphism of a building orders and incarcerates the body.[10] Bataille's prognosis for architecture is clearly fatalistic and a nihilistic scenario is easy to defend.

Architects often dream of a captive audience and rarely credit the inhabitants of architecture with any initiative. However, architecture is experienced in a blur of habit. It is made by the user, as much as by the architect. Roland Barthes' text "The Death of the Author" has been hugely influential in the development of these ideas.[11] Barthes stated that the importance of the author was overrated, because language is never *pure*.

The text has a life of its own, contradicting the intentions of the author. Barthes emphasised that the reader always constructs a text in the act of reading. Most importantly, he recognised that the reader is active, not passive, a principle which can be applied to architecture. If there is no clear linear route in the text from the author to the reader, then maybe there is no clear linear route in architecture from the architect to the user. Although they may not have completely agreed with "The Death of the Author", Michel Foucault[12] and the Situationists provide the link between the active reader and architecture. To Foucault, bodily instincts are cultural rather than natural. Foucault relates power directly to bodies in two ways. Firstly, the ever-increasing power over bodies through language and signs. Secondly, the power of the body as the site of the revolution.[13] In the fifties and sixties, the Parisian group the Situationist International proposed new modes of human activity for the city. Human activity was no longer based upon the rational procedures of the worker passive to the demands of the production, but the actions of a politicised individual. Roland Barthes emphasised

de humanos. Pero si resulta tan difícil identificar la diferencia entre víctima y asesino, ¿por qué asumimos que Deckard es humano? ¿Son ya completos los poderes de la tecnología sobre el cuerpo? Naturalmente, *Blade Runner* es una película, pero si una película puede proyectar dilemas reales de otro modo, ¿hasta qué punto puede considerarse profética? Los progresos médicos ahora permiten la clonación de una oveja, lo que en sí plantea una cuestión moral relativamente simple, ya que percibimos a los animales como una propiedad para la cría y el consumo. La sociedad depende de una idea de superioridad moral que nos permite explotar a otras criaturas "menores" sin remordimientos indebidos. ¿Ocupará un clon humano una posición equivalente al "original", o imitará en cambio la sociedad el mundo de *Blade Runner*, definiendo una rígida jerarquía, quizás con una sutil elusión moral que permita la cría de clones para una "buena" causa, como por ejemplo la investigación médica? Los cuerpos físicos, la arquitectura táctil y los emplazamientos tangibles pueden permanecer, pero ¿qué significan para nosotros cuando podemos clonar un humano y ver una guerra por televisión?

El objeto de este texto, sin embargo, no es volver a colocar a la gente en la fotografía, sino colocarla de nuevo en la arquitectura como preocupación central de la disciplina.[9] Georges Bataille interpretaba la toma de la Bastilla como un ataque literal y simbólico al papel autoritario de la arquitectura en la sociedad, ya que el antropomorfismo de un edificio ordena y encarcela el cuerpo.[10] El pronóstico que Bataille hace de la arquitectua es claramente fatalista, y un escenario nihilista es fácil de defender.

A menudo los arquitectos sueñan con una audiencia cautiva y raramente consideran que los habitantes de la arquitectura sean capaces de tener alguna iniciativa. No obstante, la arquitectura se experimenta como una masa indistinta de hábitos. La hace tanto el arquitecto como el usuario. El texto de Roland Barthes "La muerte del autor" ha tenido una enorme influencia en el desarrollo de estas ideas.[11] Barthes afirmaba que la importancia del autor estaba sobrevalorada, ya que el lenguaje nunca es puro. El texto tiene una vida propia que a menudo contradice las intenciones del autor. Barthes insistía en que el lector siempre construye un texto mediante el acto de leer. Y aún es más importante el hecho de que reconociera que el lector es un actor activo y no pasivo, un principio que también podemos aplicar a la arquitectura. Si en el texto no hay un recorrido lineal claro entre el autor y el lector, entonces quizá en arquitectura tampoco haya un recorrido lineal claro entre el arquitecto y el usuario. Aunque quizá no llegáramos a estar totalmente de acuerdo con "La muerte del autor", Michel Foucault y los situacionistas proporcionan el vínculo entre el lector activo y la arquitectura.[12] Para Foucault, los instintos corporales son más culturales que naturales. Foucault relaciona el poder directamente con los cuerpos de dos maneras. En primer lugar, el poder creciente sobre los cuerpos por medio del lenguaje y los signos. En segundo, el poder del cuerpo como el lugar donde se realiza la revolución.[13] Durante los años cincuenta y sesenta, el grupo parisiense de la Internacional Situacionista propuso nuevas formas de actividad humana para la ciudad. La actividad humana ya no se basaba en los procedimientos racionales del trabajador pasivo ante las demandas de la producción, sino en las acciones de un individuo politizado. Roland Barthes insistía en la importancia del lector activo que construye un texto por medio del acto de leer, y los situacionistas sustituyeron al trabajador pasivo por el usuario activo de la ciudad que crea nuevas formas

the active reader constructing a text through the act of reading, while the Situationists replaced the passive worker with the active user of the city, creating new forms of urbanity, as he moved through the metropolis. In his "Advertisements for Architecture" of 1976, Bernard Tschumi states: "to really appreciate architecture you may even need to commit a murder. Architecture is defined by the actions it witnesses as much as by the enclosure of its walls."[14] In *The Manhattan Transcripts*,[15] he cites the montage of forms and events as a rejection of the rigid separation and delineation of activity that occurs in authoritarian architecture. Tschumi suggests that architecture can encourage diverse forms of occupation and accommodate unexpected uses. However, by the time he had constructed Parc de la Villette, Tschumi had decided that architecture must have no programmatic intention, because to try to define in any way a building's use is oppressive and authoritarian. La Villette, in contrast to *The Manhattan Transcripts*, is a work of the derrière- rather than the avant-garde. It resists a negative present, but does not propose a positive future. The differences between *The Manhattan Transcripts* and La Villette are revealing. The writings of Barthes, Foucault and the Situationists are at least thirty years old, but their influence on architectural production is slight. Before they can have any real effect, certain ideas have to change within the discipline. We must ask a simple, but heavily loaded question. Why do we discuss architecture in the way we do? In order to question the forms of discourse in architecture, we must also question the procedures by which these terms are *constructed*. If we are to transcend the limits of contemporary architecture, we will have to expand the terms through which its discourse is produced. Firstly, the visual and verbal language of architecture acts as a restriction as much as a liberation. Architectural drawing is always ideological, never neutral. All forms of drawing omit as much as they include. The traditional forms of architectural representation emphasise the dimensional and compositional, but architecture is defined by the action and events which occur within it as much as by the walls which prescribe its dimensions. How can we consider the inhabitation of architecture in drawings which have no means to describe that occupation? Consequently, the architectural drawing is normally representational rather than exploratory and, in confusing vision with truth, architects employ a crude metaphorical language to describe their work. Then architectural discourse so often focuses on the individual project, while ignoring the terms which frame this language. The influence of architectural criticism is so insidious because it is presumed to be ever-present and self-justifying. The terms, such as space, site and form, by which architecture is defined and judged are themselves historical and ideological, not neutral and universal. Often the most essential subject is least discussed. Until recently, the unpredictability of the user was rarely discussed in architectural texts. Clearly, this is not accidental. Rather, this absence exposes the attempt to displace this issue from the bounds of architectural discourse. Dirt is matter out of place.[16] Food is dirt the moment it hits the floor. Modernism assumed that as the world

de urbanidad a medida que se mueve por la metrópoli. En el texto "Advertisements for architecture", de 1976, Bernard Tschumi afirmaba: "Para apreciar realmente la arquitectura, hasta podría ser necesario cometer un asesinato. La arquitectura se define tanto por el recinto que cierran sus paredes como por las acciones de las que es testigo".[14] En *The Manhattan transcripts*,[15] menciona el montaje de formas y acontecimentos como un rechazo a la rígida separación y delineación de actividades que tiene lugar en la arquitectua autoritaria. Tschumi sugiere que la arquitectura puede alentar diversas formas de ocupación y acomodar usos inesperados. No obstante, en la época en que ya había construido el Parque de La Vilette, Tschumi había decidido que la arquitectura no debía tener ninguna intención programática, ya que intentar definir de una manera u otra un uso para un edificio es opresivo y autoriario. La Vilette, en contraste con *The Manhattan transcripts*, es una obra de retaguardia más que de vanguardia. Se resiste a un presente negativo, pero no propone un futuro positivo. Las diferencias entre The *Manhattan transcripts* y La Vilette son reveladoras. Los escritos de Barthes, Foucault y los situacionistas tienen como mínimo treinta años, pero su influencia en la producción arquitectónica es muy leve. Antes de poder tener un efecto real, han de cambiar algunas ideas dentro de la disciplina. Hemos de preguntarnos una cosa muy sencilla, pero trascendental: ¿por qué debatimos y construimos la arquitectura de la manera que lo hacemos? Para cuestionar las formas del discurso en arquitectura, tenemos que cuestionarnos también acerca de los procedimientos por los cuales se construyen estos términos. Si queremos trascender los límites de la arquitectura contemporánea, tendremos que extender los términos por los cuales se produce el discurso. En primer lugar el lenguaje visual y verbal de la arquitectura actúa tanto de manera liberadora como restrictiva. El dibujo arquitectónico es siempre ideológico, nunca neutral. Todas las formas de dibujo omiten tantas cosas como las que incluyen. Las formas tradicionales de representación arquitectónica enfatizan los aspectos dimensionales y compositivos, pero la arquitectura se define tanto por las paredes que prescriben sus dimensiones como por las acciones y los acontecimientos que en ella ocurren. ¿Cómo podemos considerar el hecho de habitar la arquitectura a partir de dibujos que no tienen medios para describir esta ocupación? En consecuencia, el dibujo arquitectónico suele ser más de tipo representativo que exploratorio y, al confundir la visión con la realidad, los arquitectos emplean un crudo lenguaje metafórico para describir su obra. Por otro lado, el discurso arquitectónico se centra frecuentemente en el proyecto individual, pero no tiene en cuenta los términos con los que enmarca este lenguaje. La influencia de la crítica arquitectónica es tan insidiosa debido a que se cree omnipresente y autojustificadora. Los términos mediante los cuales se define y se juzga la arquitectura —como el espacio, el lugar y la forma— son históricos e ideológicos, no neutrales ni universales. A menudo el tema más esencial es el menos debatido. Hasta hace poco los textos de arquitectura raramente trataban la cuestión de la imprevisibilidad del usuario. Evidentemente, ello no es casual. Esta ausencia muestra más bien el intento de desplazar este tema de los límites del discurso aquitectónico. La suciedad es una materia fuera de lugar.[16] La comida que hay sobre la mesa se vuelve suciedad en el mismo instante en que toca el suelo. El Movimiento Moderno asumía que mientras el mundo fuese comprensible y medible, el habitante de la arquitectura era previsible. El paradigma del cuerpo en la arquitectura moderna era el trabajador, tanto en el trabajo en la fábrica como

was understandable and measurable, the inhabitant
of architecture was predictable, the paradigm of the body
in Modernist architecture being the worker, whether
at labour on the factory floor or at rest in the home.
The desire for a society of certainty and precision
is similar to obsessive hand-washing in individuals.
They are both a product of social anxiety, but on different
scales. If modernism emphasised the worker,
contemporary theories tend towards less restrictive forms
of human activity. Behaviour cannot be programmed
or determined by either machines or architecture.
Individuals may be culturally constructed, but they are
far from homogenous and their behaviour is not easily
predictable. As Gilles Deleuze and Felix Guattari state
in the beginning of A Thousand Plateaux: "The two
of us wrote Anti-Oedipus together. Since each of us was
several, there was already quite a crowd".[17]
For architecture, the implications of such a statement
are endless, but if architecture is to be used politically,
we must, paradoxically, reject the deterministic theories
which still proliferate in architecture. As an idea,
determinism is embedded within Modernism.
Modernist architects believed they could rationally
design for the needs of "the masses" and that
in the process, architecture would even educate its
inhabitants, introducing them to a more rewarding life.
In a perverse form of political correctness, one response
to the perceived failure of modernism has been
to reject any large-scale architectural proposition as
inherently regressive and morally suspect, a scenario
which, ironically, accepts the link between
architecture and determinism. Of course, the highly
dubious subtext of political correctness is that no action
is allowed, because it might disturb someone.
The result is a politically oppressed status quo, monitored
by the guardians of political correctness.
However, if we accept the importance of the reader
of the text and the user of architecture, the author dies
not determine the meaning of a text and the architect
does not determine the reception of a building.
That architecture influences many things, but determines
very few, should be a source for optimism, not pessimism.
"Architecture is a paradoxical mixture of power
and powerlessness".[18] Extricated from the burdens
of determinism, architects can take a more active
role in the construction of architecture.
In order to speculate we must not fear failure. The ordered
linearity of Hausmann's Paris facilitates the speedy
movement of troops through the city. In 1968, the students
of Paris acted against the institutions of the state.
The protesters dug up the cobbles from the streets
and hurled them at the police. This physical action turned
the city into a weapon against the state institutions
which it represented. The government responded
pragmatically by tarmacking over the streets of the city.
The event in 1968 is particularly poignant for us now,
because of its form and site. It shows that we must
exploit the obvious and unexpected if we are to
act culturally as architects. Accidental reason, rigorous
perversity, and mad logic.
In witchcraft, the sharpest cut in the doll results in
the deepest pain in the body. Theories for the production
of architecture help us create architecture, but they should

en el descanso en casa. El deseo de una sociedad de seguridad
y precisión es parecido a la obsesión de lavarse las manos de
ciertos individuos. Ambos fenómenos son el producto de la
ansiedad social, pero a escalas diferentes. Si el Movimiento
Moderno hace hincapié en el trabajador, las teorías contemporáneas tienden a formas menos restrictivas de la actividad humana.
El comportamiento no puede ser programado o determinado
por las máquinas ni por la arquitectura. Los individuos pueden
ser construcciones culturales, pero no son homogéneos
y su comportamiento no es fácilmente predecible. Como Gilles
Deleuze y Felix Guattari afirman al principio del libro
A thousand plateaux, "Los dos escribimos el Anti-Edipo juntos.
Como cada uno de nosotros era varios individuos,
había una buena multitud".[17]
Para la arquitectura, las consecuencias de una afirmación
como esta son infinitas, pero si la arquitectura ha de ser utilizada
políticamente, paradójicamente hemos de rechazar las
teorías deterministas que todavía proliferan. En cuanto idea,
el determinismo está enraizado en el Movimiento Moderno.
Los arquitectos modernos creían que podían proyectar racional-
mente teniendo en cuenta las necesidades de "las masas",
y que, por tanto, la arquitectura llegaría icluso a educar a
sus habitantes, introduciéndolos en una vida más gratificante.
De acuerdo con una forma perversa de corrección política,
una respuesta ante el presunto fracaso del Movimiento
Moderno ha sido el rechazo de cualquier proposición
arquitectónica a gran escala por considerarla inherentemente
regresiva y moralmente sospechosa, lo que constituye un escenario
que, irónicamente, acepta el vínculo entre arquitectura
y determinismo. Naturalmente, el trasfondo —muy dudoso—
de la corrección política es que no se permite ninguna acción,
ya que podría molestar a alguien. El resultado es un statu
quo políticamente opresor, controlado por los guardianes de
la corrección política. No obstante, si aceptamos la importancia
del lector del texto y del usuario de arquitectura, ni el autor
determina el significado de un texto ni el arquitecto determina
cómo se acoge un edificio.
El hecho de que la arquitectura ejerza una influencia sobre
muchas cosas pero determine muy pocas debería ser un motivo
de optimismo, y no de pesimismo. "La arquitectura es una
mezcla paradójica de poder y de falta de poder." [18]
Rescatados de las cargas impuestas por el determinismo,
los arquitectos podemos tener un papel más activo en la
construcción de la arquitectura.
Para poder conjeturar no debemos temer el fracaso.
La linealidad ordenada del París de Haussmann facilitó el rápido
desplazamiento de las tropas por la ciudad. En 1968,
los estudiantes parisienses actuaron contra las instituciones
del Estado. Los manifestantes arrancaron los adoquines
de la calles y los lanzaron contra la policía. Esta acción física
convirtió la ciudad en un arma contra las instituciones
del Estado a las que representaba. El gobierno respondió
pragmáticamente asfaltando las calles de la ciudad.
Actualmente, los acontecimientos de 1968 son particularmente
hirientes para nosotros, a causa de su forma y del lugar.
Nos demuestran que hemos de explotar lo que es evidente y lo
inesperado si queremos actuar culturalmente como arquitectos.
La razón accidental, la perversidad rigurosa y la lógica del disparate.
En brujería, el corte más profundo en la pupila tiene como
resultado un dolor más fuerte en el cuerpo. Las teorías para
la producción de arquitectura nos ayudan a crear arquitectura,
pero no deberíamos confundirlas con lo que es el mundo.
Una vez que hayamos aceptado como inevitable y deseable

not be confused with the world itself. Once the unpredictability of events is accepted as inevitable and desirable, we can produce architecture which may encourage –but not define– unexpected types of occupation or use predictable forms of use to generate architecture.
The reddest red. The softest rubber. The sharpest cut. The deepest hole. The wettest rain. The shortest journey. The longest life. The highest hope. The best idea.
However, if architecture is to really change, its police force must be disarmed. The professional status of architecture has insulated and isolated it from progressive research, crippling its response to the developments made in parallel fields. The whole concept of architect has to be redefined. I propose, firstly, the death of the legal, professional architect and secondly the birth of the illegal, politicised architect, who questions and subverts the conventions, codes and "laws" of architecture.

1. BUCK MORSS Susan, "Benjamin's Passagenwerk", *New German Critique*, vol. 10, nº 29, 1983, page 231.
2. DALÍ Salvador, in Dawn Ades, "Dada and Surrealism", *Concepts of Modern Art, Nikos Stangos* (ed.), London. Thames and Hudson, 1981, page 132.
3. HUGO Victor, *Notre Dame de Paris*, 1832.
4. McLUHAN Marshall, *Understanding media: the extensions of man*, London. Routledge and Kegan Paul.
5. FOSTER Hal, *Recordings: art, spectacle, cultural policies*, Townsend. Bay Press, 1985, page 80.
6. SPEER Albert, in Alan Balfour, *Berlin. The politics of order, 1737-1989*, New York. Rizzoli, 1990, page 80.
7. There is one text which gave rise to a good deal of this theory: BENJAMIN Walter, "The work of art in the age of mechanical reproduction" in *Illuminations*, Hannah Arendt (ed.), New York. Schoken Books, 1969, pages 216-252.
8. VIDLER Tony, "The building in pain", *AA Files*, 19, spring 1991, pages 3-10.
9. McANULTY Robert , "Body troubles", in Strategies *in architectural thinking*, John Whiteman, Jeffrey Kipnis and Richard Burdett (eds.), Cambridge, Mass. MIT Press, 1992, pages 180-197.
10. HOLLIER Denis, *Against architecture*, 1989, pages IX-XXIII.
11. BARTHES Roland, "The Death of the Author", *Image-Music-Text*, trad. Stephen Heath, London. Flamingo, 1977.
12. NEWMAN Michael, in "Revising Modernism, representing Post-Modernism: critical discourses of the visual arts", *Post-Modernism: ICA Documents*, 4-5, 1986, pages 32-51.
13. HARLAND Richard, *Superstructuralism*, London. Routledge, 1987, page 156.
14. TSCHUMI Bernard, "Illustrated themes for the Manhattan transcripts", *AA Files*, 4, 1983, page 66.
15. TSCHUMI Bernard, *The Manhattan Transcripts*, New York / London: St. Martin's Press / Academy Editions, 1981.
16. DOUGLAS Mary, *Purity and danger*, London. Routledge, 1966.
17. DELEUZE Gilles and GUATTARI Felix, *A thousand plateaus*, trad. Brian Massumi, London. Athlone Press, 1988, page 3.
18. KOOLHAAS Rem, *El Croquis*, nº 53, February-March 1992, page 6.

Jonathan Hill is architect, graduated at the Bartlett University College London, where he lectures Design and Theory. He has also taught or lectured at various international universities. He is a founder member of the editorial boards of *Architecture Research Criticism* and *Artifice*.

---

el hecho de que los acontecimientos sean impredecibles, seremos capaces de producir una arquitectura que pueda alentar –pero no definir– tipos inesperados de ocupación, o bien utilizar formas imprevisibles para generar arquitectura. El rojo más encendido. La goma más suave. El corte más nítido. El agujero más profundo. La lluvia que más moja. El viaje más corto. La vida más larga. La esperanza más alta. La idea más buena. No obstante, si la arquitectura realmente debe cambiar, su fuerza policial tiene que ser desarmada. El estatus profesional de la arquitectura la ha aislado de la investigación progresista, paralizando su respuesta ante los desarrollos realizados en otras disciplinas paralelas. El concepto de arquitecto tiene que redefinirse en su totalidad. Propongo, en primer lugar, la muerte del arquitecto legal y profesional, y, en segundo lugar, el nacimiento del arquitecto ilegal y politizado, el arquitecto que cuestione y subvierta las convenciones, los códigos y las "leyes" de la arquitectura.

1. BUCK MORSS Susan, "Benjamin's Passagenwerk", en *New German Critique*, vol. 10, núm. 29, 1983, pág. 231.
2. DALÍ Salvador, en Dawn Ades, "Dada and Surrealism", *Concepts of modern art*, Nikos Stangos (ed.), Londres: Thames and Hudson, 1981, pág. 132 [trad. "Dadá y surrealismo", en *Conceptos de arte moderno*, Madrid: Alianza Editorial, 1986].
3. HUGO Victor, *Notre Dame de Paris*, 1832 [trad. *Nuestra Señora de París*, Madrid: Cátedra, 1985].
4. McLUHAN Marshall, *Understanding media: the extensions of man*, Londres: Routledge and Kegan Paul [trad. *La comprensión de los medios como las extensiones del hombre*, México: Diana, 1969].
5. FOSTER Hal, *Recodings: art, spectacle, cultural politics*, Port Townsend: Bay Press, 1985, pág. 80.
6. SPEER Albert, en BALFOUR Alan, *Berlin, The politics of order, 1737-1989*, Nueva York: Rizzoli, 1990, pág. 80.
7. Hay un texto que originó buena parte de esta teoría: WALTER BENJAMIN, "The work of art in the age of mechanical reproduction", en *Illuminations*, Hannah Arendt (ed.), Nueva York: Schoken Books, 1969, págs. 216-252 [trad. *Iluminaciones*, 2 vols., Madrid: Taurus, 1972].
8. VIDLER Tony, "The building in pain", AA Files, 19, primavera de 1991, págs. 3-10
9. McANULTY Robert, "Body troubles", en *Strategies in architectural thinking*, John Whiteman, Jeffrey Kipnis y Richard Burdett (eds.), Cambridge, Mass: The MIT Press, 1992, págs. 180-197.
10. HOLLIER Denis, *Against architecture*, 1989, págs. 9-13.
11. BARTHES Roland, "The death of the author", *Image-Music-Text*, trad. Stephen Heath, Londres: Flamingo, 1977.
12. NEWMAN Michael en "Revising Modernism, representing Postmodernism: critical discourses of the visual arts", *Post-Modernism: ICA Documents*, 4-5, 1986, págs. 32-51.
13. HARLAND Richard, *Superstructuralism*, Londres: Routledge, 1987, pág. 156.
14. TSCHUMI Bernard, "Illustrated themes for the Manhattan transcripts", *AA Files*, 4, 1983, pág. 66.
15. TSCHUMI Bernard, *The Manhattan transcripts*, Nueva York / Londres: St. Martin's Press / Academy, 1981.
16. DOUGLAS Mary, *Purity and danger*, Londres: Routledge, 1966 [trad. *Pureza y peligro: un análisis de los conceptos de contaminación y tabú*, Madrid: Siglo XXI, 1973].
17. DELEUZE Gilles y GUATTARI Felix, *A thousand plateaus*, trad. Brian Massumi, Londres: Athlone, 1988, pág. 3 [trad. *Mil pesetas: capitalismo y esquizofrenia*, Valencia: Pre-Textos, 1988].
18.- KOOLHAAS Rem, *El Croquis*, núm. 53, febrero-marzo 1992, pág. 6.

Jonathan Hill es arquitecto, graduado en la Universidad Bartlett de Londres, donde imparte clases de Proyectos y Teoría. Ha realizado clases y conferencias en varias universidades de ámbito internacional. Es miembro fundador de los consejos editoriales de *Architecture Research Criticism* y *Artifice*.

Jonathan Hill, Instituto de los Arquitectos Ilegales, 1996
Propuesta para "otro" Instituto de Arquitectura, que no es ni Real ni Británico ni para arquitectos cualificados, situado directamente delante del edificio del Instituto Real de Arquitectos Británicos (RIBA) en Londres. Modelo: Bradley Starkey, fotografías: Edward Woodman
Jonathan Hill, Institute of the Illegal Architects, 1996
A proposal for an "other" Institute of Architecture, one that is neither Royal or British or for qualified architects, sited in the street directly in front of the building of the Royal Institute of British Architects (RIBA) in London. Model: Bradley Starkey, photographs: Edward Woodman
Jonathan Hill, Institute of the Illegal Architects, 1996

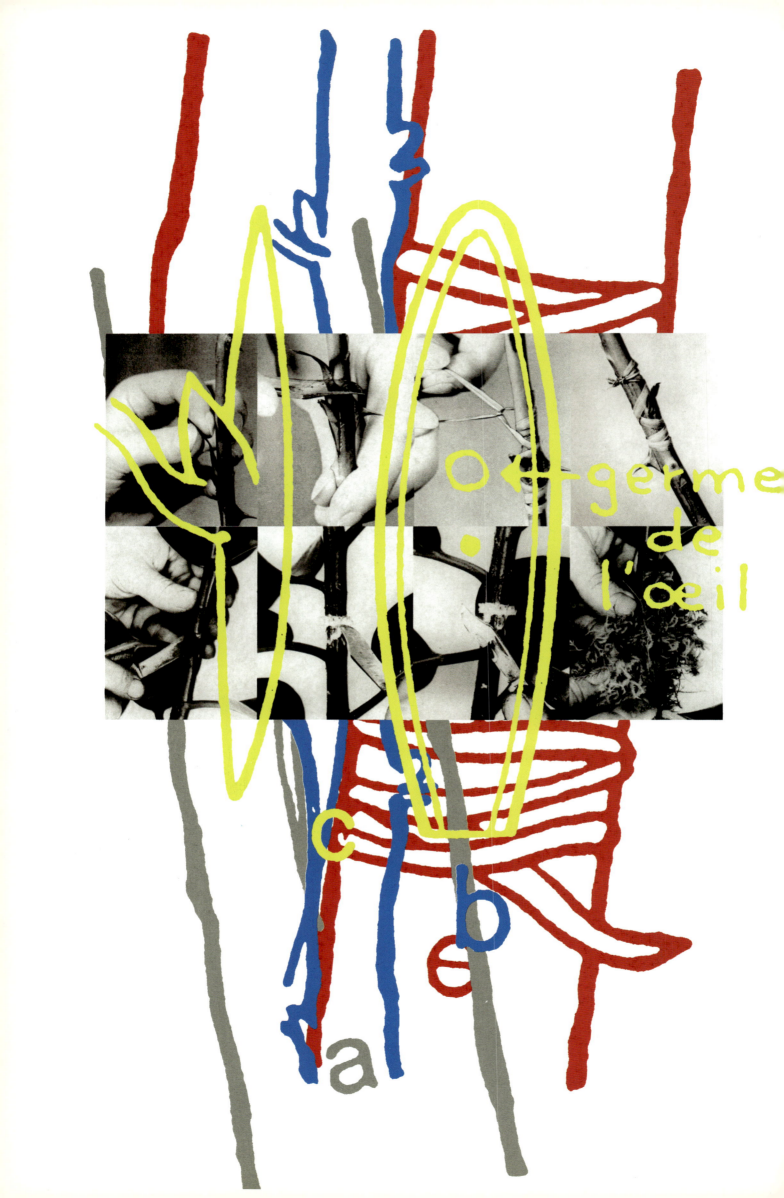

Land Arch
Landscape and architecture, fresh shoots

MANUEL GAUSA

Let's pretend to a tired, exhausted tone of voice, coddled to the point of satiety. Landscape as a 'passe-partout' topic, a pigeonhole that's in fashion, a generally all-purpose word.
Over and above its obvious devaluation, the strength of the term lies precisely in its forceful implantation in our recent cultural baggage.
Not as mere scenario but as a tool.
That shift from the background of the picture to the center of the action is increasingly difficult to circumscribe within the actual framework of a complementary and specific activity —with vague environmental connotations— primarily devoted to a landscaping that embellishes.
The expressiveness of working with the idea of landscape lies precisely in its ability to acquire a new dimension, to transcend limits, blur outlines and redraw the known forms of what has, until now, been understood as architecture.
This possibility has, naturally, been favored by the baton change from one generation, obsessed by the relationship between architecture and city (the city as a stable setting resulting from the built) to another, more sensitized by a new pact with nature (a nature that is obviously epic, mixed and wild rather than domestic and bucolic).
This has, firstly, enabled us to take on and valorize the landscape for that particular spatial quality related to the presence of the 'absent': vast surface areas, stretches of terrain, horizons, vegetation, but also textures, transparent qualities, folds, undulations...
The lyrical quality of "emptiness" as paradigmatic referent of a first approach.
Going beyond that important preoccupation for working with an instrumentalized "open space landscape" (wastelands, residual margins, semi-natural play areas, etc), other kinds of preoccupation are now coming to the fore with more unusual and less foreseeable formalizing dynamics made up of singular slippages between old semantic categories —Architecture;
Landscape— whose meanings tend to become mixed and thereby denaturalized.
Slippages in which, be it from usage or representation, from edilic conception or from territorial scale, architecture comes to terms with landscape and landscape is "architectonicized",

Land Arch
Paisaje y arquitectura, nuevos esquejes

Aceptemos una voz usada, gastada, manoseada hasta la saciedad. Paisaje como tópico *passe-partout*, casillero de moda, comodín al uso.
Más allá de su aparente erosión, la fuerza del término radica precisamente en su contundente implantación en nuestro reciente bagaje conceptual.
No como mero escenario, sino como instrumento.
Ese traspaso del fondo del cuadro a la sustancia de la acción resulta cada vez más difícil de circunscribir al marco concreto de una actividad complementaria, específica —con vagas connotaciones medioambientales—, prioritariamente volcada al ajardinamiento embellecedor.
La rotundidad del trabajo con la idea de paisaje estriba en su capacidad para cobrar nuevas dimensiones, para traspasar los límites, para difuminar las siluetas y retrazar los perfiles familiares de lo que hasta ahora se había entendido como arquitectura.
Esta posibilidad se ha visto, naturalmente, favorecida por el transvase de una generación obsesionada por la relación entre arquitectura y ciudad (la ciudad como escenario estable resultante de lo edilicio) a otra más sensibilizada por un nuevo contrato con la naturaleza (una naturaleza evidentemente épica, mestiza, salvaje, más que doméstica y bucólica).
Ello ha permitido, en primer término, asumir y valorar el paisaje desde esa calidad espacial propia relacionada con la presencia de lo "ausente": las grandes superficies, los suelos, los horizontes, las vegetaciones, pero también las texturas, las transparencias, las rugosidades, los pliegues...
La cualidad lírica del "vacío" como referencia paradigmática para la primera aproximación. Más allá de esa importante preocupación por trabajar con un "paisaje/espacio libre" instrumentalizado (*terrains vagues*, residuos periféricos, áreas lúdicas seminaturales, etc.), hoy se abre paso, sin embargo, otro tipo de inquietudes con dinámicas formalizadoras más insólitas, menos previsibles, hechas de extraños deslizamientos entre antiguas categorías semánticas —arquitectura..., paisaje...—, cuyos significados tienden a mezclarse y, por tanto, a desnaturalizarse.
Deslizamientos en los que, ya sea desde el uso o desde la representación, desde la concepción edilicia o desde la escala territorial, la arquitectura se compone con el paisaje

producing new disciplinary dynamics situated halfway between a modern confidence in the invention of form –artifice– and the primitive call of a spontaneous playing with the raw material –nature–.

A playful, singular tergiversation, rich in hybridity, made up of new ecological fragrances, but also of decidedly contemporary strategies, of a desire for an uninhibited transformation of things –or of their image– with a markedly carefree –or falsely ingenuous– air which at times is too insolently elementary, even (with regard to an acceptance of direct manipulatory systems this would consist in: **modellings, camouflagings, graphic and wrapping actions, the play of analogy, metaphor and fabulation** as devices for provoking new referents in the imaginary, etc).

Dynamics which would lead to quite a few frustrations due to their ready ascription to recent moments in history: connections with the world of Pop? Venturian inheritances? unpredictable sensationalist figurations?

The basic difference would be, precisely, the overcoming of the iconographic as mere figurative, aestheticist, superposed, ornamental motif so as to make way for a programmatic use of the image –no longer dilettantist or cynical, but positivist– capable of favoring –and constructing– a new nature of things.

A world in which the wager would be much more radical: that of discovering a new specimen, product of the non-natural grafting of architecture and landscape.

The distanced or ironical vision would be substituted by a purposeful attitude that accepts plastic (and no longer mechanical) artifice as a working tool: geometries of a topomorphic rather than Euclidian order, graphicincorporations, a new usage of recycled materials, elements and textures at the interface between the technological and the crude, the manufactured and the directly incorporated: raw and manufactured material.

New dynamics that would go to make up an immanent, mixed vocabulary, in which intervention on the given site takes off from that **hybrid contract: Land and Arch**, never a brutal graft but rather a potential imbrication between two until now distant categories.

Constructions which would artificially integrate movements –or moments– within nature, in some cases architectonicizing the landscape (modelling, trimming, folding it...) and putting forward new

y el paisaje se "arquitectoniza" produciendo nuevas dinámicas disciplinares situadas a medio camino entre la confianza moderna en la invención de la foma –el artificio– y la llamada primitiva del juego espontáneo con la materia bruta –la naturaleza–. Una tergiversación lúdica, extraña, rica por bastarda, hecha de nuevos aromas ecológios, pero también de estrategias decididamente contemporáneas, de una voluntad de transformación desinhibida de las cosas –o de sus imágenes– con aires marcadamente desenfadados –o falsamente ingenuos–, a veces demasiado insolentemente elementales (por la aceptación de sistemas manipulativos directos que ésta tendría: **modelados, camuflajes, acciones gráficas y embalajes, juegos de analogías, metáforas y fabulaciones**, como dispositivos para provocar nuevas referencias en el imaginario, etcétera).

Dinámicas que provocarían no pocas desazones por su fácil adscripción a momentos recientes de la historia: ¿conexiones con el universo pop?, ¿herencias venturianas?, ¿traviesas figuraciones efectistas?

La diferencia fundamental sería precisamente la superación de lo iconográfico como mero motivo figurativo, esteticista, superpuesto, ornamental, para dar paso a una utilización programática de la imagen –ya no diletante o cínica, sino positivista–, susceptible de favorecer y construir una nueva naturaleza de las cosas.

Un universo en el que la apuesta sería mucho más radical: la de descubrir un nuevo espécimen surgido de ese esqueje contranatura entre arquitectura y paisaje.

La visión distante o irónica se sustituiría por una actitud propositiva que aceptaría el artificio plástico (y ya no el mecánico) como instrumento de trabajo: geometrías del orden de lo topomórfico más que de lo euclidiano, incorporaciones gráficas, nuevas utilizaciones de materiales reciclados, elementos y texturas en el límite entre lo tecnológico y lo basto, lo manufacturado y lo directamente incorporado: materia prima y materia manufacturada.

Nuevas dinámicas que estarían conformando un vocabulario incipiente, mestizo, en las que la acción sobre el lugar partiría de ese **contrato híbrido: Land y Arch** jamás un injerto brutal, sino una posible imbricación entre dos categorías hasta ahora ajenas. Construcciones que integrarían de modo artificial movimientos –o momentos– de la naturaleza, en unos casos "arquitectonizando" el paisaje (modelando, recortando, plegando...) proponiendo nuevas formas topológicas (relieves, ondas, pliegues, bandejas cizalladas);

topological forms (reliefs, wave forms, pleats, cut-out flats); in others "landscaping" (facing, wrapping, covering) an architecture in ambiguous synergy with the singular nature which surrounds it: incorporations and infiltrations of vegetal −organic or synthetic− elements, insertions in arboreal masses (with deciduous leaves, for preference), incorporations −above all in the enclosures− of light materials which alter with time (copper, wood, etc).

And as often as not the relation architecture has with time. The transformation of the contingent. The importance of the evolutive.

Many of the references mentioned here are not to be found in the manuals of "disciplinary" architecture but in research generated by other experimentation. This tranversality in which the contributions of *Arte Povera* and *Land Art* (from Mario Merz to Christo; Richard Long to Joseph Beuys) would be reencountered, together with intuitions from landscapist theory and the New Geography, anthropology and biology, etc, is framed in the specific critique of the very best object-work which has marked a large part of the eighties and nineties: the shift from sculpture to installation can be extrapolated today to an architecture converted into a dissolved, softened presence; transgressive but not lacerating; uninhibited, unwonted, manifestly artificial but not arrogant; authoritative, not authoritarian. Often fragile, light, ephemeral, temporal or evanescent. An architecture of pavilions, of screens, of reliefs... Installations or geographies more than edifices. Infiltrations or incisions more than monumentalizations.

An experimentation with form, but also with a confidence in the beneficial invention of alternative and imaginative formulas capable of favoring that new "natural contract" in which the amiable −complicitous− appearance of an architecture in harmony with landscape (rather than integrated into it) would reside, precisely, in its capacity for incorporating technical and plastic solutions which are surprising, unusual, enriching, never paralyzed or timid in the presence of nature but stimulated by the very possibility of incorporating, strengthening, reforming it: of enriching more than preserving it. New Landscape-Architectures, in fine, for responding to the new demands of a society ever more anguished by the geological frenzy of the urban.

en otros, "paisajeando" (forrando, envolviendo, cubriendo) una arquitectura en ambigua sinergia con la extraña naturaleza que la envuelve: incorporaciones e infiltraciones de elementos vegetales −orgánicos o sintéticos−, inserciones en masas arbóreas (de hojas preferentemente caducas), incorporaciones −sobre todo en los cerramientos− de materiales ligeros alterables a lo largo del tiempo (cobre, madera, etcétera). Y en la mayoría de los casos, la relación de la arquitectura con el tiempo.

La transformación de lo vivo.

La importancia de lo evolutivo. Muchas de las referencias aquí mencionadas no encuentran su sitio en los manuales de referencia de la arquitectura "disciplinar", sino en la investigación generada a través de otras experiencias.

Esta transversalidad en la que se reencontrarían aportaciones del *Arte Povera* y del *Land Art* (desde Mario Merz a Christo, desde Richard Long a Joseph Beuys...), intuiciones de la teoría paisajística y de la Nueva Geografía, de la antropología y la biología, etc., se enmarca en la propia crítica a la obra-objeto "vedettista" que ha marcado buena parte de los ochenta y noventa; el paso de la escultura a la instalación se extrapola hoy a una arquitectura convertida así en presencia disuelta, fundida; transgresora pero no lacerante; desenfadada, insólita, definitivamente artificial pero no arrogante; positiva, no impositiva.

A menudo frágil, ligera, efímera, temporal o evanescente. Arquitectura de pabellones, de pantallas, de relieves... Instalaciones o geografías más que edificaciones. Infiltraciones o incisiones más que monumentalizaciones. Experimentación con la forma, pero también confianza en la beneficiosa invención de fórmulas alternativas imaginativas capaces de favorecer ese nuevo "contrato natural", en el que la apariencia amable −cómplice− de una arquitectura en sintonía con el paisaje (más que integrada en él) radicaría precisamente en su capacidad para incorporar soluciones técnicas y plásticas sorprendentes, insólitas, enriquecedoras, nunca paralizadas ni apocadas ante la presencia de la naturaleza, sino estimuladas precisamente por la posibilidad de incorporarla, de potenciarla, de reformularla: de enriquecerla más que de preservarla.

Nuevas arquitecturas-paisaje, en definitiva, para responder a las nuevas demandas de una sociedad angustiada, cada vez más, por el frenesí geológico de lo urbano.

WEST 8
ADRIAAN GEUZE

Vertical landscapes Paisajes verticales

Frequently, architecture and nature are considered as counterparts. On one sense, the city and its buildings represent culture, sin, conflict, decadence and the dominance of the human race. On the other sense, nature represents innocence, harmony, arcadia and the god-made; it softens the architecture. The city with its city victims needs the comfort of green. In this dualityarchitecture is usually the positive, nature the negative. Architecture is organized within the grid, green fills the voids in between.

New York is well-known for the sublime statement of the towering ambition of its skyscrapers. Therefore we expect astonishing pieces of vertical landscape, parks which may be as ambitious as the Chrysler Building, the Empire State or the Rockefeller Center. At first we discovered Central Park, the perfect void, a one hundred and fifty block-sized, sharply enclosed landscape that provoques the Manhattan skyline.
The rest of Manhattan's green exhibits itself as Babylonian gardens, RCA's roof garden, the IBM bamboo garden, Trump Tower's interior waterfalls and roof trees, the setbacks and plazas can be considered as serious attempts to get the green inside the block and to make it part of this large show. To expose the potential of Manhattan, we explored the possibilities of the grid and the Manhattan principle of unlimited ambition and verticality through green interventions.

The Landschaftspark Riem, in Munich, is so big as to invite comparison with the Central Park. It is a major element as a regional and supraregional green zone. Though our design presents Landschaftspark Riem as a nature park, it is designed to appear every bit a large town.
The park is thus permanently unfinished, its use reflecting instead the culture of both present and future generations. As a large wood out of which streets and squares have been hewn, leaving large "building blocks" of green each with its own formal and programmatic characteristics. A landscape which is waiting to be occupied with new and unpredictable programmes.

A menudo, la arquitectura y la naturaleza se consideran contrapuestas. Por un lado, la ciudad y sus construcciones representan la cultura, el pecado, el conflicto, la decadencia y el dominio de la raza humana. La naturaleza, en contraposición, representa la inocencia, la armonía, la arcadia y la creación divina, contribuyendo para que la arquitectura sea más amena. La ciudad con sus víctimas-urbanas necesita el confort del espacio verde. Sin embargo, en dicha dualidad la arquitectura es normalmente lo positivo y la naturaleza lo negativo. La arquitectura se organiza dentro de la malla urbana y los espacios verdes rellenan los vacíos que quedan libres.

Nueva York es sobradamente conocida por la ambiciosa declaración de verticalidad que enuncian sus rascacielos. Por ello anhelamos crear definiciones tan sublimes y sorprendentes de paisajes verticales como lo son el Chrysler Building, el Empire State o el Rockefeller Center. Inicialmente descubrimos el Central Park, un vacío perfecto: ciento cincuenta manzanas de paisaje, encerrado y recortando perfectamente el perfil de Manhattan. El resto de los espacios verdes no acaban siendo más que jardines babilónicos. La cubierta-jardín del edificio de la RCA, el jardín de bambú de la IBM, las cascadas interiores de la Torre Trump, sus árboles en la cubierta, los retranqueos y plazas,...; todo ello no es más que un deseo de querer integrar espacios verdes entre las construcciones y hacerlos formar parte de este gran espectáculo. Para definir las posibilidades de este nuevo paisaje, hemos explorado el tejido urbano y el principio de ambición vertical ilimitada de Manhattan.

El Landschaftspark Riem, en Munich, es tan grande que puede ser comparado con el Central Park. Constituye un elemento crucial como zona verde regional y suprarregional. Aunque nuestra propuesta se presenta como un parque natural, se ha diseñado para que parezca una pequeña ciudad en todos sus detalles. El parque, por lo tanto, está permanentemente inacabado, y su uso refleja, en cambio, la cultura de las generaciones presentes y futuras. Como un enorme bosque en el que se han tallado calles y plazas, dejando grandes "bloques construidos" de verde, cada uno de ellos con su propio formato y sus características programáticas. Un paisaje que espera ser ocupado con programas nuevos e imprevisibles.

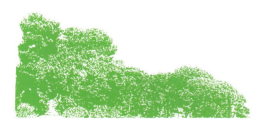 

1:00 PM Square
WEST 8

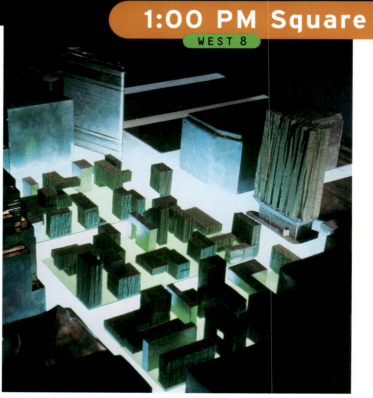

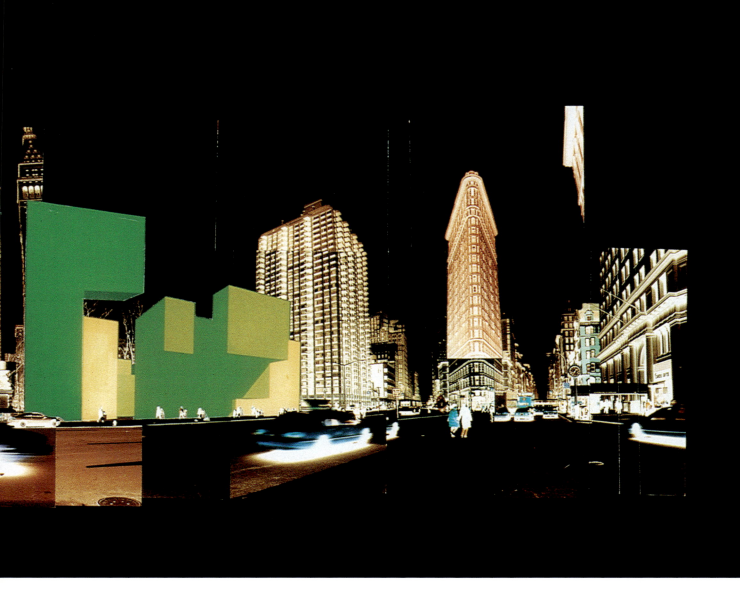

La arquitectura siempre se va revitalizando junto con la ciudad. Como representación del triunfo capitalista, absorbió las vanguardias de los años veinte, la modernidad de la posguerra e ilustra hoy la belleza del conflicto y el contraste. Los espacios verdes de Manhattan son y serán siempre una caricatura de espacio verde urbano. Surgen en espacios sin uso, en solares vacíos, triangulares, intersticiales. En contraposición a la naturaleza mutante de los edificios, los espacios verdes han llegado a tener una posición estática, unida a una cierta herencia cultural. Ésta es una situación paradójica, donde la naturaleza no parece evolucionar. Aunque sea muy regenerativa y flexible, los espacios verdes de Manhattan se han desprendido de toda lógica darwinista y, más aún, de toda tipología contemporánea. Privados de toda renovación, no han evolucionado, ni han podido enriquecerse con una nueva identidad. Se podría llegar a afirmar que,

mientras los edificios representan la vida, los parques de Manhattan representan la muerte.
Madison Square Park es un ejemplo devastador. A pesar de que la estructura urbana alrededor del parque se ha desarrollado de forma arquitectónicamente curiosa, el parque ha tenido que seguir aferrándose a su tediosa apariencia neorromántica y, pese a que actualmente es un lugar común de encuentro entre los propietarios de animales del barrio, el potencial de la plaza sigue inexplorado.
Madison Square Park reclama a gritos un cambio experimental que le permita reincorporarse a la ciudad. No sólo de manera literal, mediante la prolongación de las calles, sino también llevando la malla hasta sus últimas consecuencias: libertad ilimitada de renovación y ambición vertical.
A lo largo de Broadway, el Madison Square Park se definirá por el volumen triangular del *Flat Sequoia*, el gemelo vegetal del edificio Flat Iron.

Architecture continually revitalizes itself and the city. It expresses the triumph of capitalism. It could absorb the avant-gardism of the twenties and post-war modernism, and it exposes the beauty of conflict and contrast.
The Manhattan green is doomed to be a caricature of city green. It is allowed to appear in the interstices, left-over triangles and wastelands. As the opposite of the restless nature of the block, the green has become a static, cultural heritage. This is a paradoxical situation in which nature cannot evolve. Although nature is extremely regenerative and flexible, Manhattan green is cut off from Darwinian logic or contemporary garden typology. Manhattan green is forbidden space for renewal. It has never evolved, changed or enriched itself with new identities.

In theory it could be stated that the block represents life, the green represents death.
Madison Square is a heartbreaking example. The grid around the park has developed into an architecturally intriguing area; the park has to hold on to its tedious neo-romantic appearance. Although Madison Square is a place for dog-owners to meet, the potential of the square is almost unexplored. Madison Square is craving for an experimental transformation making it part of the grid. Not only literally by extending the streets, but also by following the grid to its consequence: unlimited freedom for renewal and vertical ambition. Along Broadway, Madison Square will be marked by the Flat Sequoia triangle, the green Flat Iron twin.

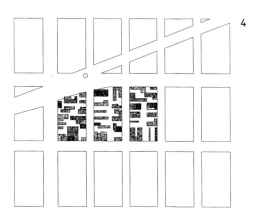

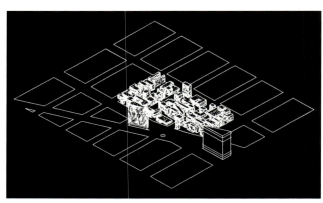

1. **Un paisaje escultórico verde a la hora del almuerzo**
A green sculptural landscape at lunchtime
2. **Axonometría de la propuesta**
Axonometric view
3. **Situación existente**
Existing situation
4. **Propuesta, redefiniendo las manzanas no edificadas**
Proposal, redefining the unbuilt blocks
5. **Situación. Madison Square**
Site. Madison Square

Emplazamiento. Site **Nueva York (EEUU)** – Arquitecto paisajista. Landscape architect **Adriaan Geuze**
Colaboradores. Collaborators **Edzo Bindels, Jeroen Mush, Henrin Borduin, Joost de Natris, Judith Hopfengärtner, Marc McCarthey, Cyrus Brent Clark, Catja Edens** – Proyecto. Project **1996**

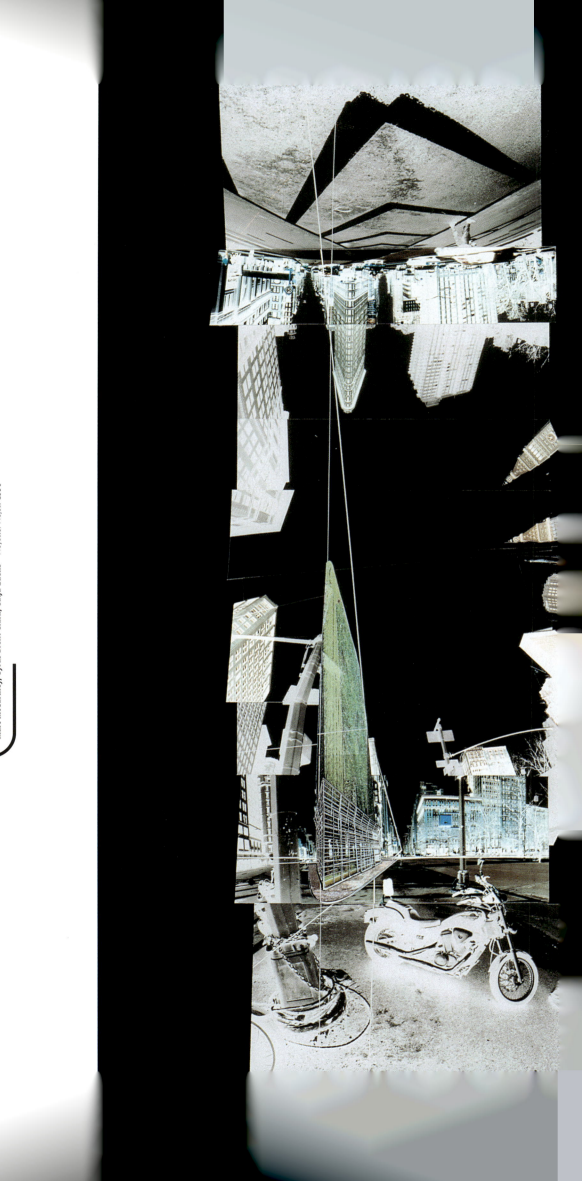

Vertical Park
WEST 8

Por extraño que parezca, las mayores distancias entre las edificaciones en el urbanismo moderno no han conseguido la deseada calidad del espacio público urbano.

Las típicas plazas modernas, con fuentes y parterres, son aburridas y les falta vida. Para cumplir con las pretensiones del parterre central de Park Avenue, se propone erigir un parque vertical en la plaza frente al edificio Seagram. Un voluminoso depósito de agua de riego coronará el interior de este parque vertical. Cortinas de vegetación natural y mantenimiento de jardinería rellenarán las fachadas de la estructura de bronce. La luz del sol penetrará débilmente en este atrio de cuarenta plantas, como si fuera una catedral gótica. El parque vertical acabará legitimando así el retranqueo del edificio de Mies.

Strangely enough, the modernist setbacks didn't offer the grid the expected public space. Their cliché plazas with fountains and obligatory green are lifeless and dull.

To fulfil the pretension of Park Avenue's linear green median, a vertical park will be erected on the Seagram's set-back stage. The interior of this vertical park has a voluminous water reservoir at the top. Green curtains fill in the facades of this bronze structure, trimmed by gardeners. Sunlight could penetrate the forty story-high atrium, as in the finest gothic cathedrals. In the end the vertical park legitimizes the setback of Mies.

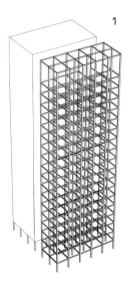

1

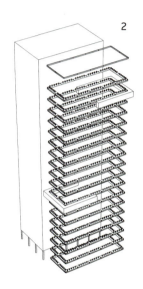

2

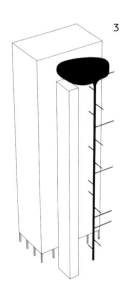

3

4

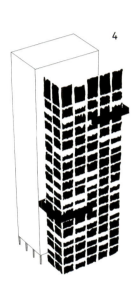

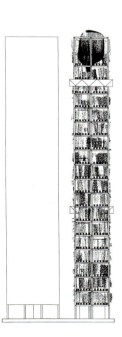

5

6

1. **Estructura** Structure
2. **Estructura recubierta de bronce, balcones con vegetación**
   Bronze cladded structure, balconies with vegetation
3. **Depósito de acero inoxidable con sistema de irrigación, bloque de accesos verticales aplacado en mármol**
   Stainless steel waterreservoir with irrigation pipes, marble cladded service elevator
4. **Fachadas de coníferas, andamios móviles de mantenimiento**
   Yew façades, service gondolas
5. **Fachadas. Lateral y frontal**
   Façades. Side and front
6. **Situación. Park Avenue, frente al Seagram Building**
   Site. Park Avenue, in front of Seagram Building

Wet Rock
WEST 8

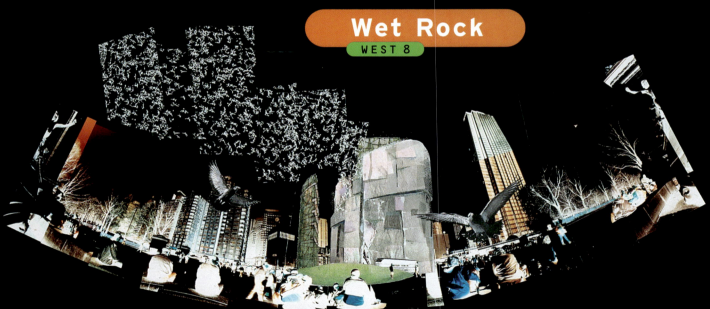

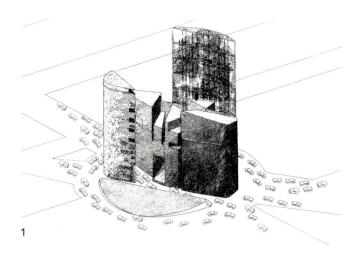

1

Columbus Circle, en la esquina sudoeste de Central Park donde Broadway y la Octava avenida se cruzan, es el lugar idóneo para soñar con un paisaje vertical. En el centro de la rotonda, Colón, que no consiguió descubrir el camino a las Indias y por azar descubrió el continente americano, se subió a una columna decorada de 15 metros de altura y aún permanece allí. Los cuatro arcenes entre los carriles de taxi podrían elevarse verticalmente por extrusión formando una potente escultura frente al Central Park. De esta manera, Colón estaría ahora situado a 45 metros de altura sobre una nueva roca húmeda. Húmeda por la salpicadura de una instalación de riego ubicada en el saliente del segundo arcén. Esa roca y su compleja estructura de imperfecciones y hendiduras serían un biotópico vital que

permitiría el crecimiento de moho, helechos, así como de pájaros y murciélagos en el polvo de la ciudad de Manhattan. Esta nueva ecología urbana tendría su propia evolución acelerada. Para los habitantes aficionados a la montaña, esa roca sería el último grito en cuanto a escalada libre. Al otro lado de la roca, en el tercer arcén, se erigiría un mirador que ofrecería a las masas de turistas otra vista de la roca, así como una panorámica en diagonal del Central Park, de Broadway y la Octava Avenida. Esta estructura sería la construcción más alta recubierta de hiedra. Cada aproximación a la escultura ofrecería una vista distinta y una configuración específica. No sería una escultura estática y acabada, sino que, en el futuro, podría llegar a ser ampliada con la ayuda de generosas donaciones.

Columbus Circle, at the corner of Central Park where Broadway and Eighth Avenue cross, is the place to dream of vertical landscape. In the middle of the roundabout, in between the three taxi stands, Columbus, the man who failed to reach India and coincidentally discovered America, climbed a forty-five foot tall decorated pillar. The four medians in between the taxi lanes could be extruded vertically into a mighty landmark sculpture facing Central Park. Columbus will be positioned on a one hundred and fifty four feet high wet rock. This rock is frequently sprinkled by a spray installation on the extrusion of the second median. With its complex structure of faults and small caves, the rock

is a vital synthetic biotope which enables ferns, moss, bats and birds to thrive in the Manhattan city dust. This new urban ecology will have its own accelerated evolution. To citizens with strong fingers the rock will be the ultimate climbing experience. On the other side of the rock the third median is erected as an observatory structure which offers the tourist crowds a view of the rock and a diagonal panoram a over Central Park, Broadway and Eighth Avenue. The observatory tower will be the highest ivy-covered building. Each approach to the sculpture offers a different view and specific configuration. It will not be a static and complete sculpture; it can be extended after generous funding.

2

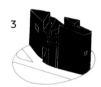

3

4

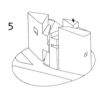

5

6

7

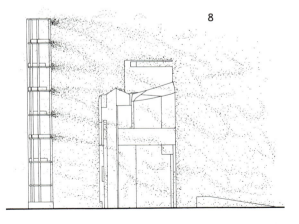

8

9

1. **Axonometría de la propuesta**
   Axonometric view of the proposal
2. **Torre de rociado.** Nozzle tower
3. **Roca húmeda.** Wet rock
4. **Vacíos en la roca.** Voids in the rock
5. **Estatua de Colón.** Columbus
6. **Torre panorámica cubierta de hiedra**
   Ivy cladded observation tower
7. **Parterre inclinado.** Grass ramp
8. **Instalación de rociado,
   de 6 a 7 de la tarde**
   Spray installation, 6:00pm to 7:00pm
9. **Situación. Columbus Circle**
   Site. Columbus Circle

City Light Spring
WEST 8

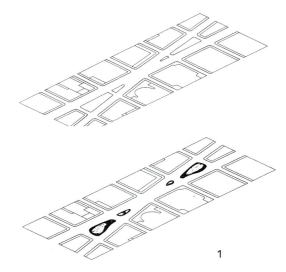

Times Square puede considerarse la pieza mas extraordinaria de la naturaleza urbana de Manhattan. Tiene la hora invertida: por la noche es el crisol de una aglomeración ciudadana, sensual y extravertida, que llega en un continuo y ruidoso flujo de taxis amarillos, bajo una fenomenal Vía Láctea de luces y *mega-carteles* publicitarios. Como la mayoría de las plazas triangulares de Manhattan, tambien tiene un repertorio normalizado de vallas, árboles, estatuas y de asfalto que anulan el espacio de la euforia sin mostrar el mínimo respeto hacia su especificidad.

Para enfatizar la verticalidad de esta ciudad de luz y conferirle al mismo tiempo un foco más central, nos imaginamos sus cuatro triángulos como cuatro superficies ovaladas de césped brillantemente iluminadas, hundidas respecto al nivel de la calle. Por la noche, humedecidas por aspersores, darían una sensación de frescor, como las pistas de tenis de Wimbledon cuando están mojadas. En los bordes del césped se colocarían religas metálicas flotantes para los peatones: un lugar idóneo para la masa de peatones bebidos a la espera de un taxi.

Times Square can be considered as Manhattan's most phenomenal piece of urban nature. It has a reversed clock: at night it attracts a sensual and extrovert crowd ina continuous flow of nervous and noisy yellow cabs, under a phenomenal milky way of lights and mega-billboards. Times Square, like all Manhattan's Moses triangles, has a standard repertory of fences, statues, trees and asphalt that diminishes the place's euphoria and shows no respect for its specific nature. To enhance the verticality of this light city, and at the same time give it a more central focus, we imagine its four triangles as brightly illuminated sunken lawns, in oval shapes. Sprinkled by night, they are as fresh as Wimbledon tennis courts. Floating steel grids for pedestrians are made on the edges of the lawns; a perfect home base for the drunk crowd to get a taxi.

1

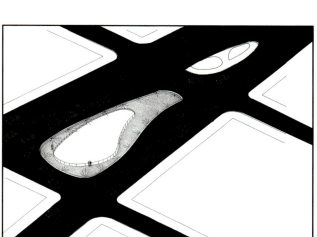

2

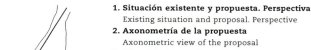

3

1. **Situación existente y propuesta. Perspectiva**
   Existing situation and proposal. Perspective
2. **Axonometría de la propuesta**
   Axonometric view of the proposal
3. **Situación. Times Square**
   Site. Times Square
4. **Emparrillados de acero inoxidable**
   Stainless steel grill balconies
5. **Céspedes hundidos**
   Sunken lawns
6. **Iluminación e irrigación**
   Illumination and irrigation
7. **Situación existente y propuesta**
   Existing situation and proposal

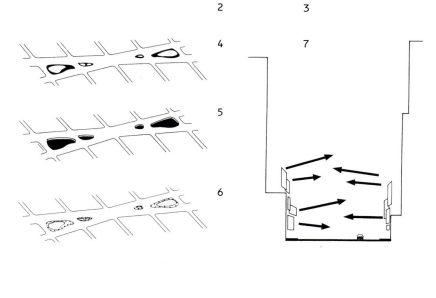

4

5

6

7

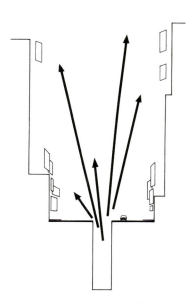

Riem Park
WEST 8

En torno al antiguo aeródromo de Riem y sus alrededores se llevará a cabo en el futuro un nuevo proyecto residencial. A la urbanización se le añadirá un parque, cuyas dimensiones lo situarán entre los principales portadores de la identidad de Munich, junto con el Englischer Garten, el Schlosspark Nymphenburg y el Olympiapark. De hecho, es tan grande que puede ser comparado con el Central Park de Nueva York, el Tiergarten de Berlín o los jardines de Versalles. Constituye un elemento crucial como zona verde regional y suprarregional. Aunque el proyecto presenta el Landschaftspark Riem como un parque natural con la necesaria vegetación local, se ha diseñado de tal manera que parezca una pequeña ciudad en todos sus detalles. Forma parte así de la ciudad de Riem en lugar de intentar compensarla. Los pueblos de Salmdorf y Gronsdorf —que se sitúan a lo largo del parque— quedan incorporados a la propuesta. Es más, garantizan que la estructura "urbana" del parque esté preparada para acoger una serie de programas diversos en el futuro. El parque, por lo tanto, está permanentemente inacabado, y su uso refleja, en cambio, la cultura de las generaciones presentes y futuras. De hecho, el área se concibe en su conjunto como un enorme bosque en el que se han tallado calles y plazas, dejando grandes "bloques construidos" de zona verde, cada uno de ellos con su propio formato y sus características programáticas. Habrá jardines colgantes, un jardín *skyline*, un laberinto constructivista, etcétera. En última instancia, sin embargo, el parque se halla a la espera de ser ocupado por grupos de gente con programas imprevisibles.

A new residential development is to be built on and around the former Riem airfield. The development will be joined by a park, whose sheer size will make it one of the prime bearers of Munich's identity, together with the Englischer Garten, Schlosspark Nymphenburg and Olympia Park. Indeed, it is so big as to invite comparison with New York's Central Park, Berlin's Tiergarten and the gardens of Versailles, and it is a major element in the regional and supraregional green zone. Though the design presents Landschaftspark Riem as a nature park with typical local vegetation, it is designed to appear every bit a large town and, as such, forms part of the city of Riem rather than trying to compensate for it. The villages of Salmdorf and Gronsdorf lying along the park are drawn into its design. What is more, they guarantee that the park's "urban" structure is primed to receive any number of programmes in the future. The park is thus permanently unfinished, its use reflecting instead the culture of both present and future generations. In fact the entire area is conceived as a large wood out of which streets and squares have been hewn, leaving large "building blocks" of green each with its own formal and programmatic characteristics. For example, there are hanging gardens, a skyline garden, a constructivist labyrinth, and so on. Yet in the last analysis, the park is waiting to be occupied by groups of people with unpredictable programmes.

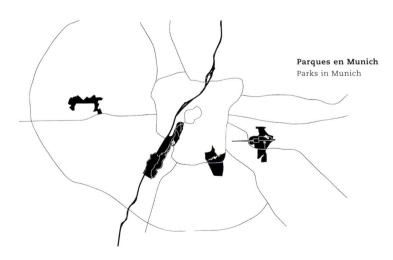

Parques en Munich
Parks in Munich

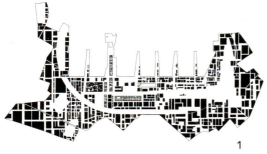

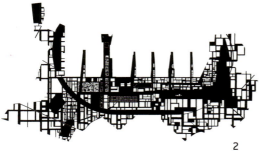

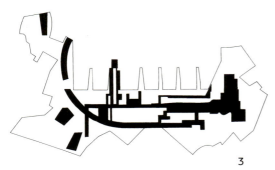

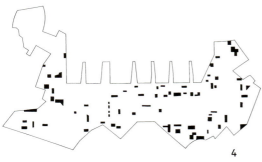

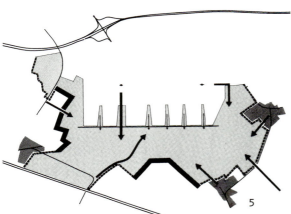

Anatomía de la propuesta:
Anatomy of the proposal:
1. **Volúmenes**
   Volumes
2. **Espacios vacíos**
   Empty spaces
3. **Espacio vacío a gran escala**
   Large scale empty space
4. **Espacios intermedios a pequeña escala**
   Small scale intermediate spaces
5. **Estructuras urbanas del entorno**
   Boundary and village structures

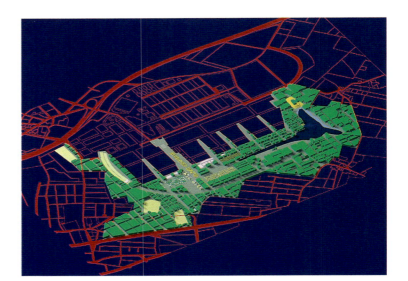

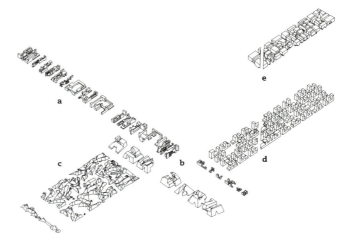

Parque escultural
Sculptural park
a. **Jardines colgantes**
   Hanging gardens
b. **Esculturas cúbicas**
   Cube sculptures
c. **Jardín de Dalí**
   Dalí garden
d. **Jardín skyline**
   Skyline garden
e. **Laberinto constructivista**
   Constructivist labyrinth

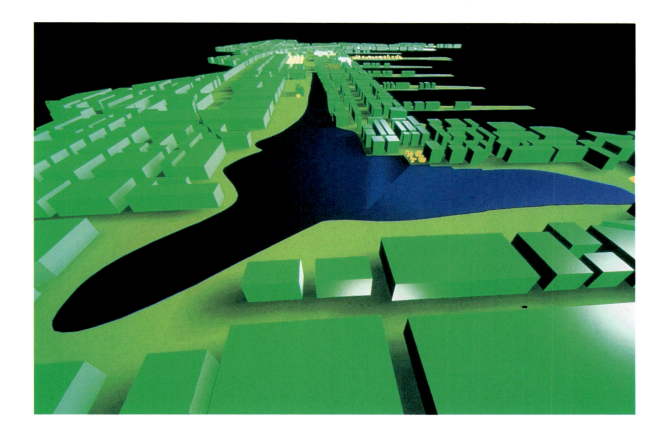

Emplazamiento. Site **Munich (Alemania)** – Arquitecto paisajista. Landscape architect **Adriaan Geuze** Colaboradores. Collaborators **Edzo Bindels, Fawrad Kazi, Guido Marsille, Gricha Bourbouze, David Buurma, Wim Kloosterboer, Hernando Arazola** – Proyecto. Project **1995**

Lago
Lake
A. Aclimatación del agua
Water heating
B. Zona de baño
Swimming zone
C. Area de filtro
Filter area
D. Extensión
Expanse

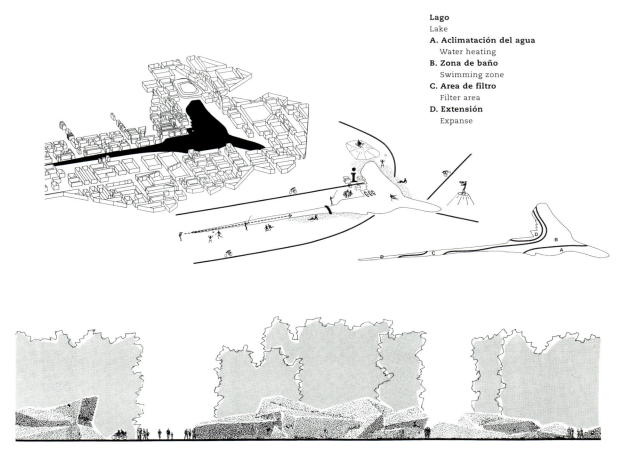

Jardín de Dalí. Alzado
Dalí garden. Elevation

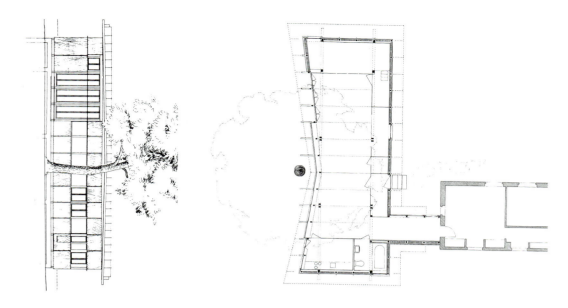

Herzog & de Meuron
Casa de madera multilaminar en
Bottmingen, Suiza. 1984-85
Herzog & de Meuron. Plywood house in
Bottmingen, Switzerland. 1984-85

difference in rank, so destroying in advance the domain of
possible provenance of rank and of a knowledge originating
in being itself".[10]
How is a human attitude towards nature, one which
would not be that of "unreasonable demand" and
"pro-vocation", expressed today?
The French landscapist Gilles Clément, creator, with Patrick
Berger, of the Citroën Park in Paris, furnishes us with the
tools for understanding the transformation made. From a
visual order imposed on nature in an archaic and violent
manner (using mowers, weed-killers, stakes, etc...),
we can accede today to an interior order which flows from
an intimate knowledge of biological facts. Gilles Clément
restores honour to fallow land, denounced by history as a
loss of man's power over nature, and its suitability for
expressing a certain pleasure in existing. Nature pursues
its own autonomous and contingent development.
Man limits himself, then, to "following the natural course of
plant life, fitting into the biological current which animates
the place, and orientating it".[11] Within the same set of ideas
Gilles Clément conceives of the "planetary garden",
including nature, man, and hence the town, as an outcome
of the ecological finitude of the Earth: "The town, regarded
as a singular manifestation of the garden, becomes
independent of the wider territory in which it finds itself.
It does not turn its back on this, it does not spread over a
depleted earth but over a fertile one; not alongside trees
but with them".[12]
The three projects by Roche, DSV & Sie show themselves to
be in accord with this new relationship to nature.
No compromise, here, in affirming who the actors are: the
house, the block of flats and the museum are human
constructions; the trees are trees. It's an intimate rapport,
a slow dependence which gradually instaures itself between
the two subjects. No gentle mimicry or radical effraction,
but an "infiltration", an "inexpressible modification"[13]
which is set up, as if by common accord, between the

fuerzas de crecimiento, tema, por otra parte, tratado por Michel
Serres en el *contrato natural.*[9] Y Heidegger termina intuyendo un
inminente peligro: "Lo que amenaza al hombre en su ser es la opi-
nión según la cual la producción técnica aportará orden al mundo,
mientras que es precisamente esta manera de 'poner orden' la
que nivela, en una uniformidad de producción, todo *ordo,* es decir,
cualquier rango, destruyendo así de antemano la posibilidad de
aportes de un orden o de un conocimiento a partir del ser".[10]
¿Cómo se expresa hoy una actitud del hombre frente a la naturaleza que no sea la del *arraisonnement* o deseo de control
y la de la "provocación"?
El paisajista francés Gilles Clément, autor con Patrick Berger
del parque Citroën en París, nos ofrece herramientas para enten-
der la transformación llevada a cabo. Del "orden visual", impuesto
a la naturaleza de manera arcaica y violenta (con la ayuda de
cortacéspedes, herbicidas, tutores, etc.), podemos pasar hoy a un
"orden interior" cuyo origen procede del conocimiento íntimo
del hecho biológico.
Gilles Clément valora una vez más los eriales, denunciados en la
historia como una pérdida del poder del hombre sobre la naturaleza, y su capacidad de expresar un cierto "placer de vivir". La naturaleza persigue una evolución autónoma y contingente. El hombre
se limita entonces a "seguir el flujo natural de la vegetación, a inscribirse en la corriente biológica que anima el lugar y a orientarla".[11]
En el mismo orden de ideas, Gilles Clément concibe el "jardín pla-
netario", que comprende la naturaleza, el hombre y, por consi-
guiente, la ciudad como consecuencia de la finitud de la Tierra:
"La ciudad, vista como manifestación singular del jardín, se vuelve interdependiente del territorio más amplio al que pertenece.
No le da la espalda, no se abre a tierra quemada, sino a tierra
fecunda; no al lado de los árboles, sino con ellos".[12]
Los tres proyectos de Roche, DSV & Sie se expresan totalmente

artefact and the trees. The architecture engages with the existing world in a lucid and modest way, accepts being modified by the heteronomous conditions of external nature. Its appearance is no longer subordinated to an unequivocal mental will, but is transformed little by little according to the seasons, the years. Here, in confronting the world, the artefact assumes a physical, sensitive and temporal dimension. It no longer sets itself in opposition, but in partnership, accepts the pre-established conditions and enters into an agreement with the other entities of the universe, without disdain or effraction. It is at the level of relations between the entities that the tremendous radical change evoked here is situated. We are, in effect, present at the affirmation of an ecosystem in which trees and time participate as much as the architecture.

No hegemony, no servitude: each entity pursues its own existence, becomes a subject in law and establishes agreement. And so the architecture thrives at the same time as the trees, which continue for their part to grow and to subsist in their own intimacy. The architecture is accepted as artefact, the trees as trees, and their contact is not made to the detriment of their essence but, on the contrary, as an intimate coalition assuming the form of a contract to which the adjective Michel Serres gave it would apply: *natural*.

The house in the trees is built on pilotis many meters above the ground and lets itself be gradually overgrown by the fifteen maples planted below. Programmed over twenty years, the artefact no longer asserts itself in an abstract and utopian finality. At the same time the trees are not wholly free: their branches must find a way between the architecture, contorting themselves, but nevertheless growing. Thus, inasmuch as the architecture bonds with the trees so the trees link themselves to the architecture.

The exhibition areas at Le Maïdo, on La Réunion, have a similar rapport with the forest in permitting the trees to coexist in the one space.

The project for the rehabilitation of a block of flats at Sarcelles is, for its part, more "political", in the sense that it detourns the original isolation of "a pure creation of the mind" by re-establishing a physical relationship between it and its surroundings. The original situation is classic: a 60s block of flats, a pure abstract prism, silent and solitary, placed without much thought on the ground, is present, impotent, at its own physical decay. To the north, an abandoned garden of conifers, curtailed by the disdainful presence of other buildings.

The Roche, DSV & Sie project is devoted to "reorienting", "reanchoring the block in its context". It throws footbridges between the block and the trees of the abandoned garden, accompanied by a structure allowing for enlarging each apartment in the direction of the conifers. On one side the block of flats, on the other the trees. These footbridges are the exact expression of a contract, and physically materialize this new rapport between architecture and nature. "Sometimes I think that the first object of the law was the rope, the fetter, the one we read only abstractly in the terms of obligation and alliance, but more concretely in that of attachment, a cord which materializes our relations or changes our relations into things; if our relations fluctuate, this solidification fixes them".14 In this project Roche, DSV & Sie reaffirm the identity of the constituents

según esta relación con la naturaleza. No hay compromiso alguno en la afirmación de identidad de los actores: la casa, el edificio y el museo son construcciones humanas, los árboles son árboles. Se trata de un acercamiento íntimo, de una lenta dependencia que nace poco a poco entre los dos sujetos. No existe mimetismo suave ni ruptura radical, sino una "infiltración", una "modificación inefable",13 que se instala de común acuerdo entre el artefacto y los árboles.

La arquitectura entra en el mundo sensible de una manera lúcida y modesta, acepta verse modificada por las condiciones heterónomas de la naturaleza exterior. Su aspecto ya no está sometido a una voluntad unívoca del espíritu, sino que se transforma poco a poco, según las temporadas y los años. Aquí, el artefacto, al confrontarse con el mundo, adquiere una dimensión física, sensible y temporal. No ejerce oposición, sino que se asocia, acepta las condiciones preestablecidas y firma un contrato con las demás entidades del universo sin menosprecio ni efracción. En el ámbito de las relaciones entre entidades se sitúa el enorme cambio evocado. De hecho, estamos en presencia de la afirmación de un ecosistema, en el que participan tanto los árboles como el tiempo y la arquitectura. Ninguna hegemonía, ningún avasallamiento, cada entidad prosigue con su propia existencia, se convierte en sujeto de derecho y establece acuerdos. De este modo, la arquitectura existe al mismo tiempo que los árboles, los cuales continúan creciendo y viven su propia intimidad.

La arquitectura es aceptada como artefacto, los árboles como árboles, y el roce no perjudica la esencia, sino que, por el contrario, se establece una íntima coalición según la forma de un contrato, al que calificaríamos, tal como hizo Michel Serres, de *natural*.

La casa en los árboles está construida sobre pilotis, unos metros por encima del suelo, y se deja vencer, poco a poco, por los quince arces plantados debajo. Programado para una vida de veinte años, el artefacto ya no se presenta con una finalidad abstracta y utópica. Igualmente, los árboles no son del todo libres: las ramas deben encontrar su camino entre la arquitectura, torciéndose pero creciendo. Así, del mismo modo que la arquitectura se une a los árboles, éstos se unen a la arquitectura.

Las salas de exposición de Maïdo, en la isla de La Reunión, mantienen la misma relación con el bosque, permitiendo que árboles y arquitetura coexistan en los mismos espacios.

El proyecto para la rehabilitación de un inmueble en Sarcelles es más "político" en el sentido que desvía la soledad original de "una pura creación del espíritu", restableciendo una relación física con su entorno. El punto de partida es clásico: un inmueble de los años sesenta (un prisma abstracto puro, mudo y solitario), colocado sin miramientos sobre el suelo, es testigo de su propio descalabro físico. Al norte, un jardín de coníferas abandonado, recortado por la presencia desdeñosa de las construcciones. El proyecto intenta "reorientar y reanclar el inmueble en su contexto". Proyecta pasarelas entre el inmueble y los árboles del jardín abandonado, junto con una estructura que permite ampliar las viviendas hacia los coníferas. Por un lado, el inmueble y, por otro, los árboles. Estas pasarelas son la expresión exacta de un contrato y materializan físicamente esta nueva relación entre arquitectura y naturaleza. "A veces imagino que el primer objeto del derecho fue la cuerda, el nudo, el que tan sólo leemos de forma abstracta en términos de obligaciones y alianzas, sino en el sentido

of an ecosystem. The block leaves its abstract muteness behind and renews the dialogue with its actual surroundings. Long since abandoned, the trees rise up straight once more, tall and proud. The footbridges forge the link between the intimacy of the dwelling and the welcoming shade of the foliage. Man aspires here, perhaps, to make himself natural.

The three projects by Roche, DSV & Sie show us an eloquent way forward in establishing a relationship between the artefact and nature. A way forward that isn't new in that it was already present in many post-sixties works of art. But it is its application to architecture that gives these projects the weight of veritable manifestoes. The experiments of *arte povera* or *earthworks* remain richer, in this area, than the history of architecture. In that sense Germano Celant, in a 1981 article on Mario Merz, displays similar intentions to those which, project after project, inform the architecture of François Roche.

"One needs to build in a way antithetical to current models; to build according to processes of growth and of solitude, by following and dominating one's own will, according to a natural rhythm, according to night and day. Different materials will be chosen each time, determined by the randomness, placing and proximity of other elements, the choice will be dictated by the vegetation. The surface of the earth must be a body with which the elements can be in intimate relation. Nothing must be fixed in advance, that is to say, capitalized on. The necessity is to build - hour by hour, day by day - to orient one's will towards what is scattered about in life".[15]

If today trees and natural objects are to become subjects in law then architecture must completely rethink the way it inscribes itself on the ground. More modest, more attentive to "the balance of affective, sensory and territorial strata",[16] the architecture that Roche, DSV & Sie propose is already engaged in the world *qua* integral element and not *qua* effraction and pro-vocation.

1. Cited by HARRISON Robert: *Fôrets* , Flammarion, 1992.
2. "Should Trees Have Standing? Towards Legal Rights For Natural Objects". This episode is related by FERRY Luc in his book *Le nouvel ordre écologique*, Grasset, 1992. As president of the International Green Cross, Mikhaïl Gorbatchev also proposed, during a meeting in Geneva in December 1995, an "agreement on the rights of nature" similar to the Universal Declaration on the Rights of Man.
3. SERRES Michel: *Le contrat naturel*, Éditions François Bourin, 1990.
4. CORBUSIER LE: *Précisions* , Éditions Vincent Fréal, 1960.
5. UTZON Jorn: cited by GIEDION Siegfried in *Éspace, temps, architecture*, ed. Denoël, 1990.
6. WRIGHT F. Lloyd: *L'avenir de l'architecture*, volume 2, ed. Denoël/Gonthier, 1982.
7. NIETZSCHE Friedrich: *Le gai savoir*, Robert Laffont, 1993.
8. HEIDEGGER Martin: "La question de la technique", *Essais et conférences*, ed. Gallimard, 1958.
9. "In the past the cultivator gave back in kind ,through his upkeep of it, what he owed to the earth from which his labours brought forth fruit." SERRES Michel, *op. cit.*
10. HEIDEGGER Martin: "Pourquoi des poètes?", *Chemins qui ne mènent nulle part* , ed. Gallimard, 1962.
11. CLÉMENT Gilles: *Le jardin en mouvement*, Pandora Éditions, 1991.
12. CLÉMENT Gilles: *Lettre à Augustin Berque a propos du jardin planétaire*, 1993.
13. These two expressions are François ROCHE's.
14. SERRES Michel: *op. cit.*
15. CELANT Germano: "Mario Merz: L'artiste nomade", *Art Press*, nº 48, may 1981.
16. ROCHE François: "Rêve d'architecture", *Purple Prose*, nº 2, january 1993.

de adhesión, cordón que materializa nuestros contactos o transforma nuestras relaciones en cosas; si nuestros contactos fluctúan, esta solidificación los fija".[14]

En este proyecto, Roche, DSV & Sie reafirma la identidad de los componentes de un ecosistema. El inmueble sale de su mutismo abstracto y reanuda el diálogo con su entorno sensible. Los árboles, mucho tiempo abandonados, se erigen de nuevo orgullos e íntegros. Las pasarelas constituyen el lazo entre la intimidad de la vivienda y la sombra acogedora del follaje de los árboles.
Tal vez el hombre aspira aquí a *volverse natural*.

Estos tres proyectos ofrecen una formidable apertura sobre la manera de establecer una relación entre el artefacto y la naturaleza. Esta apertura no es del todo nueva, puesto que se observa desde los años sesenta en numerosas obras de arte plástico.
Pero su aplicación en arquitectura confiere a estos proyectos el peso de verdaderos manifiestos. Por este mismo camino, las experiencias de arte *povera* o de los *earthworks* son más ricas que la historia misma de la arquitectura. Al respecto, Germano Celant, en un artículo de 1981 sobre Mario Metz, expresa intenciones parecidas a las que animan la arquitectura de François Roche, proyecto tras proyecto. "Necesitamos construir de manera antitética a la de los modelos actuales: construir de acuerdo con procesos de crecimiento y de soledad, siguiendo y dominando la propia voluntad, según un ritmo natural, según la noche y el día. Materiales distintos, escogidos cada vez, determinados al azar, según el lugar y la proximidad de otros elementos y la selección dictada por la vegetación. La superficie de la tierra debe ser un cuerpo con el que estos elementos pueden tener una relación íntima. Nada debe ser decidido de antemano, es decir, capitalizado. La necesidad consiste en construir —hora por hora—, en dirigir la voluntad a aquello que se esparce en la vida".[15]

Si los árboles y los objetos se convierten hoy en sujetos de derecho, entonces la arquitectura debe volver a considerar su manera de inscribirse en el suelo. Más modesta, más atenta al "equilibrio de los estratos afectivos, sensoriales y territoriales",[16] la que nos propone Roche, DSV & Sie quiere formar parte ya del mundo, en calidad de elemento constitutivo y no como elemento de ruptura o provocación.

1. Citado por HARRISON Robert: *Forêts*, Flammarion, 1992.
2. "Should trees have standing? Toward legal rights for natural objects" [¿Deberían tener los árboles un estatuto jurídico? Hacia la creación de derechos legales para los objetos naturales]. Este episodio está relatado por Ferry Luc en su libro *Le nouvel ordre écologique*, Grasset, 1992. Mijaíl Gorbachov, como presidente de la Cruz Verde Internacional, propuso asimismo en diciembre de 1995, en un foro celebrado en Ginebra, la elaboración de un "pacto de los derechos de la naturaleza" similar a la declaración universal de los derechos del hombre.
3. SERRES Michel: *Le contrat naturel*, François Bourin, 1990.
4. LE CORBUSIER: *Précisions*, Vincent Fréal, 1960.
5. UTZON Jorn: citado por GIEDION Siegfried en *Espace, temps, architecture*, Denoël, 1990.
6. WRIGHT F.L.: *L'avenir de l'architecture* (tomo 2), Denoël/Gonthier, 1982.
7. NIETZSCHE Friedrich: *Le gai savoir*, Robert Laffont, 1993.
8. HEIDDEGER Martin: "La question de la technique", en *Essais et conférences*, Gallimard, 1958.
9. "El cultivador, antiguamente, convertía en belleza mediante su cuidado aquello que debía a la tierra, a la que su trabajo arrancaba algunos frutos". SERRES Michel: *Le contrat naturel*, François Bourin, 1990.
10. HEIDEGGER Martin: "Pourquoi des poètes?", en *Chemins qui ne mènent nulle part*, Gallimard, 1962.
11. CLÉMENT Gilles: *Le jardin en mouvement*, Pandora, 1991.
12. CLÉMENT Gilles: "Lettre à Augustin Berque. À propos du jardin planétaire", 1993 (no publicada).
13. Estas dos expresiones son de ROCHE François.
14. SERRES Michel: *Le contrat naturel*, François Bourin, 1990.
15. CELANT Germano: "Mario Merz: l'artiste nomade", en *Art Press*, nº 48, mayo de 1981.
16. ROCHE François: "Rêve d'architecture", en *Purple Prose*, nº 2, enero de 1993.

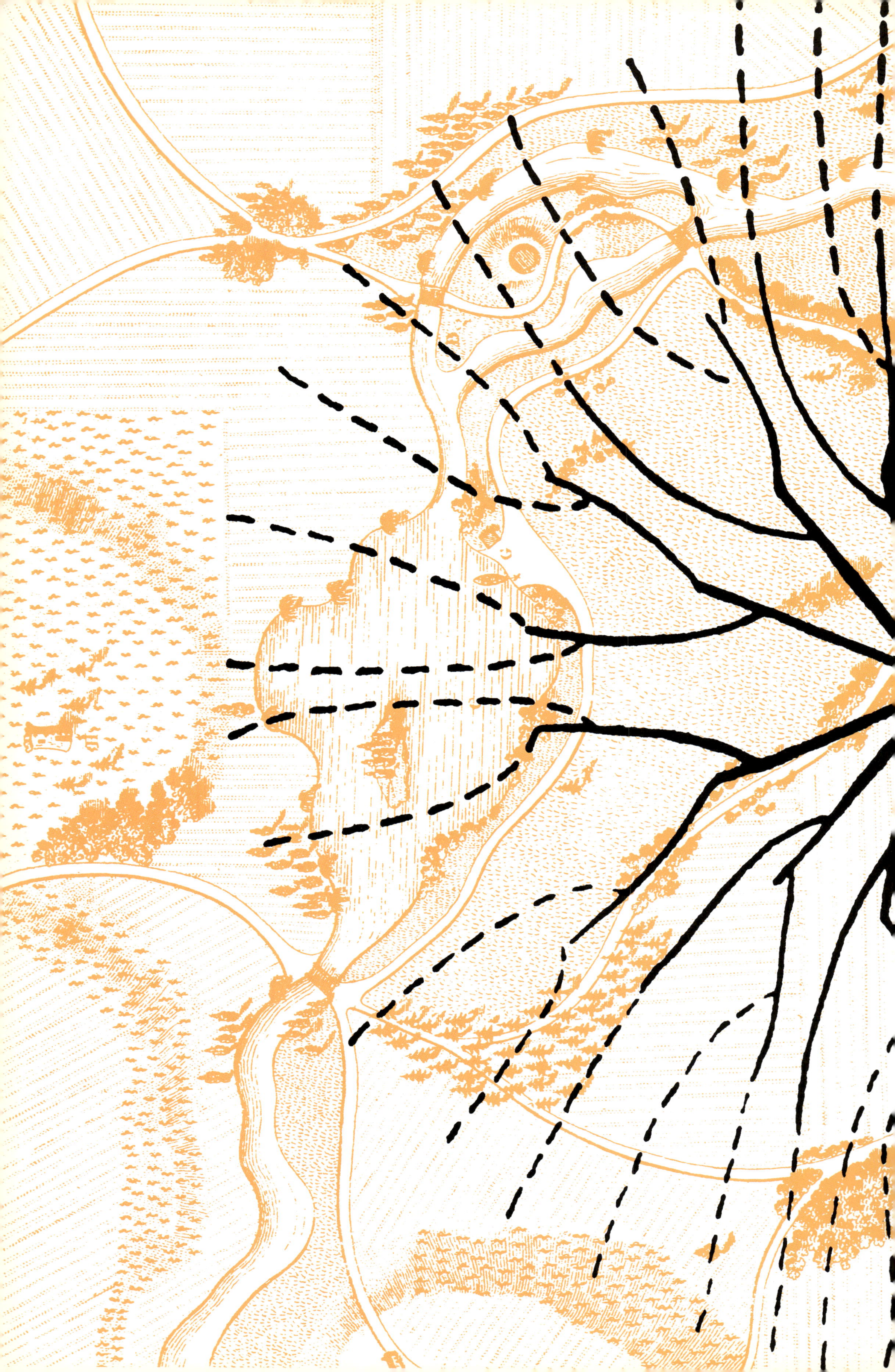

FORUM

Quaderns

ITEMS *ITEMS* **Obras** *Works* **MVRDV, Wörndl, Lacaton & Vassal**

PANTALLA *SCREEN* **Yves Brunier, Fernando Porras**

TÉCNICA *TECHNICS* **Lorenzo Fernández Ordoñez**

CRÍTICA *CRITICS* **Hargreaves Associates, Vicente Guallart**

Once upon a time there were three little pigs who set out to make their way in the world. The first little pig built his house with straw, and a fine house it was —but not a very strong one. By and by the big bad wolf came along. **Ho, ho, little pig, may I come in?**, he called in a loud voice. **No, no!**, said the little pig. **Then I'll huff and I'll puff and I'll blow your house in**, said the wolf. And he huffed and he puffed and he blew the house in, but the first little pig had run away to hide in the woods. The second little pig built his house with sticks, and a fine house it was — but not a very strong one. By and by the big bad wolf came along. **Ho, ho, little pig, may I come in?** he called in a loud voice. **No, no!**, said the little pig. **Then I'll huff and I'll puff and I'll blow your house in**, said the wolf. And he huffed and he puffed and he blew the house in, but the second little pig had run away to hide in the woods. The third little pig found a load of bricks and he built his house with these bricks, and a fine strong house it was. By and by the big bad wolf came along. **Ho, ho, little pig, may I come in?**, he called in a loud voice. **No, no!**, said the little pig. **Then I'll huff and I'll puff and I'll blow your house in,** said the wolf. And he huffed and he puffed, and he puffed and he huffed, and he huffed and he puffed again —but he could not blow the house in. The wolf shouted to the little pig, **I'm coming down the chimney!** The little pig laughed and put a huge pan of water on the fire. Then the big bad wolf came down the chimney and fell SPLASH into the big pan of water. And that was the end of him. And from that day on the three little pigs lived hapily ever after, all together in the little brick house.

Érase una vez tres cerditos que partieron para abrirse camino en la vida. El primer cerdito construyó su casa con paja. La casa tenía muy buen aspecto, pero no era demasiado sólida. Muy pronto apareció un gran lobo malvado. **Oh, oh, cerdito, ¿puedo entrar?**, dijo con su potente voz. **¡No, no!**, dijo el cerdito. **Pues me enfadaré y soplaré, soplaré hasta que te derribe la casa**, dijo el lobo. Y sopló y sopló hasta derribarla, pero el cerdito ya había huido y se había escondido en la montaña. El segundo contruyó su casa con ramas. La casa era bonita pero no demasiado firme. Poco después llegó el gran lobo malvado. **Oh, oh, cerdito, ¿puedo entrar?**, dijo con su potente voz. **¡No, no!**, dijo el cerdito. **Pues me enfadaré y soplaré, soplaré hasta que te derribe la casa**, dijo el lobo. Y sopló y sopló hasta derribarla, pero el cerdito ya había huido y se había escondido en la montaña. El tercer cerdito encontró una pila de ladrillos y construyó su casa con estos ladrillos. Era una casa sólida y espaciosa. Muy pronto el lobo le hizo una visita. **Oh, oh, cerdito, ¿puedo entrar?**, le dijo con su voz potente. **¡No, no!**, le dijo el cerdito. **Pues me enfadaré y soplaré, soplaré hasta que te derribe la casa**, dijo el lobo. Y sopló y sopló, una vez y otra, cada vez más enfadado al ver que la casa se mantenía firme. El lobo gritó, **¡Bajaré por la chimenea!** El cerdito se rió y puso una gran cazuela de agua al fuego. Entonces el gran lobo malvado bajó por la chimenea y cayó en la gran cazuela de agua haciendo un gran chapoteo. Éste fue el final del gran lobo malvado. Y desde aquel día lo tres cerditos vivieron felices para siempre, todos juntos en la pequeña casa de ladrillos

Willamette Industries, Inc. (Architecture, 3/96)

THE TREE LITTLE PIGS conveniently brought up-to-date

The Three Little Pigs is that charming, highly perverse story
–and one that is highly instructive for those children who
are liable to answer back or prone to heterodox fantasy–
in which three piglets with pretensions to being architect-
handymen devote themselves to proposing various self-built
solutions to the irksome problem of the personal abode.
As is usual in such cases it is the worst (or the most
conventional) who ends up imposing his authority. Logically,
it is the eldest of the three swine, the one most addicted
to routine and most deranged by life, but also the one
most perverted by the prudent path of possibilist pragmatism.
There are two others besides, gentler, more rebellious
and uninhibited, who try and experiment with alternative
technical systems and new formulas for relating to
the landscape (biological materials, light structures,
quick-assembly constructions, reversible montages, temporal,
i.e. ephemeral installations, etc).
Which don't work.
Harsh Reality (the fierce wolf, a useful metaphor for the
whole gamut of difficulties, pressures and obstacles constantly
lying in wait for the professional) ruins any invention.
Too much ingenuousness. Too many unknowables. Too many
imperfections: Failure.
Result: seeking refuge in brick as a symbol of the well-tried,
the secure, the guaranteed.
Of the traditional, viz. conservative ...
Moral: novelty, risk, inquiry are punished.
End of story.
End? Maybe not. A recent ad for building materials published
 in an American specialized journal suggested, not so
long ago, another potential ending.
New techniques, new performance qualities, new possibilities.
New, more precise applications. New, more exact components.
New ideas.
Another opportunity.
The city changes.
The nature of things changes.
And stories can (perhaps) do likewise.

LOS TRES CERDITOS convenientemente revisado

Los tres cerditos es aquel simpático cuento tan perverso –y a la
vez tan eficazmente aleccionador para todos aquellos niños demasiado curiosos o propensos a la fantasía heterodoxa–, en el
que tres laboriosos cochinitos con pretensiones de arquitecto-
bricoleur se dedican a proponer soluciones diversas de autocons-
trucción para el mareado tema del hábitat individual.
Tal y como suele suceder, acaba imponiéndose el peor (o sea, el
más convencional). Lógicamente es el mayor de los tres suidos, el
más enviciado por la rutina y traqueteado por la vida, pero también
el más maleado por la vía prudente del posibilismo-pragmatismo.
También están los otros dos, más tiernos, rebeldes y desenfadados, que intentan ensayar sistemas técnicos alternativos y fórmulas nuevas de relación con el paisaje (materiales biológicos,
estructuras ligeras, construcciones en seco, montajes reversibles,
ocupaciones temporales –léase efímeras–, etcétera).
La cosa no funciona. La Dura Realidad (el lobo feroz, socorrida
metáfora para todo ese amplio cúmulo de dificultades, presiones
y obstáculos, constantemente al acecho del profesional) deshace
el invento. Demasiadas ingenuidades. Demasiados imprevistos.
Demasiadas imperfecciones: fracaso.
Consecuencia: el refugio en el ladrillo como símbolo de lo ensaya-
do, de lo seguro, de lo garantizado.
De lo tradicional ergo conservador...
Moraleja: la novedad, el riesgo, la investigación en fin, se castigan.
Fin de la historia.
¿Fin? Quizá no. Un reciente anuncio de materiales constructivos
publicado en una revista profesional americana proponía, no hace
mucho, otro posible final.
Nuevas técnicas, nuevas prestaciones, nuevas posibilidades.
Nuevas aplicaciones más precisas. Nuevos elementos más exactos.
Nuevas ideas.
Otra oportunidad.
La ciudad cambia.
La naturaleza de las cosas cambia.
Y los cuentos (quizá) también pueden hacerlo.

Manuel Gausa

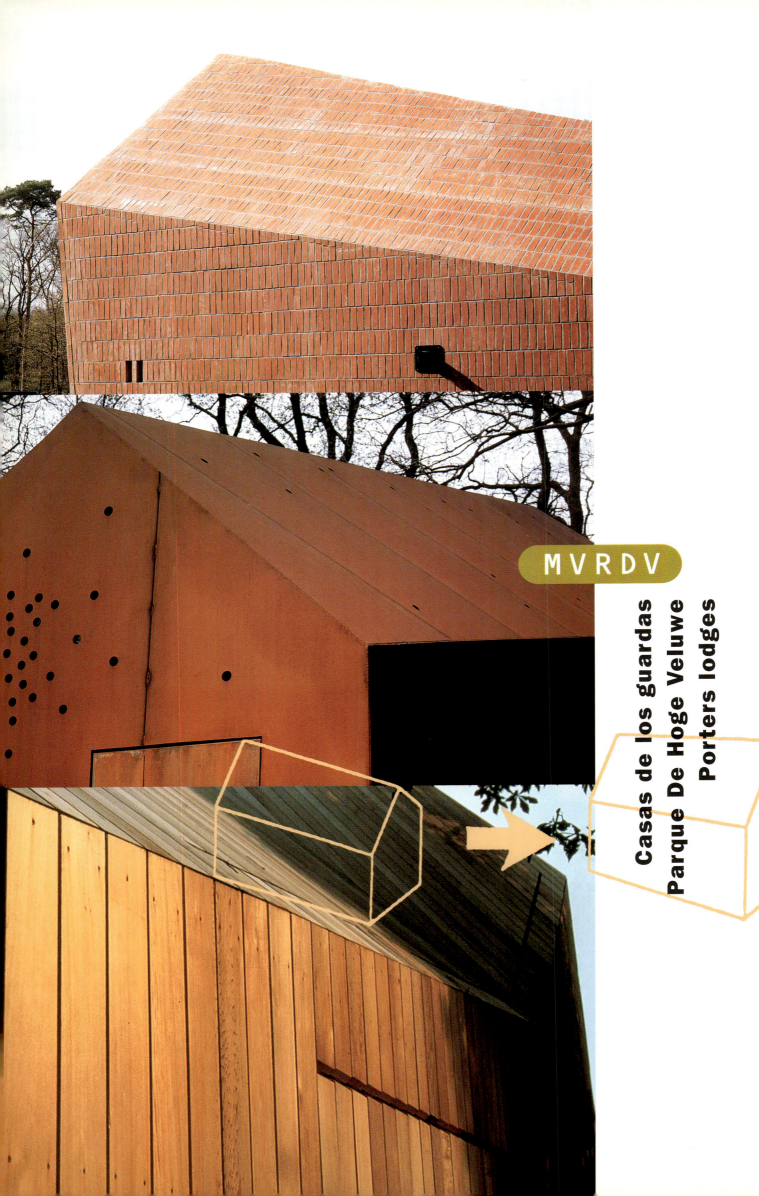

MVRDV

Casas de los guardas
Parque De Hoge Veluwe
Porters lodges

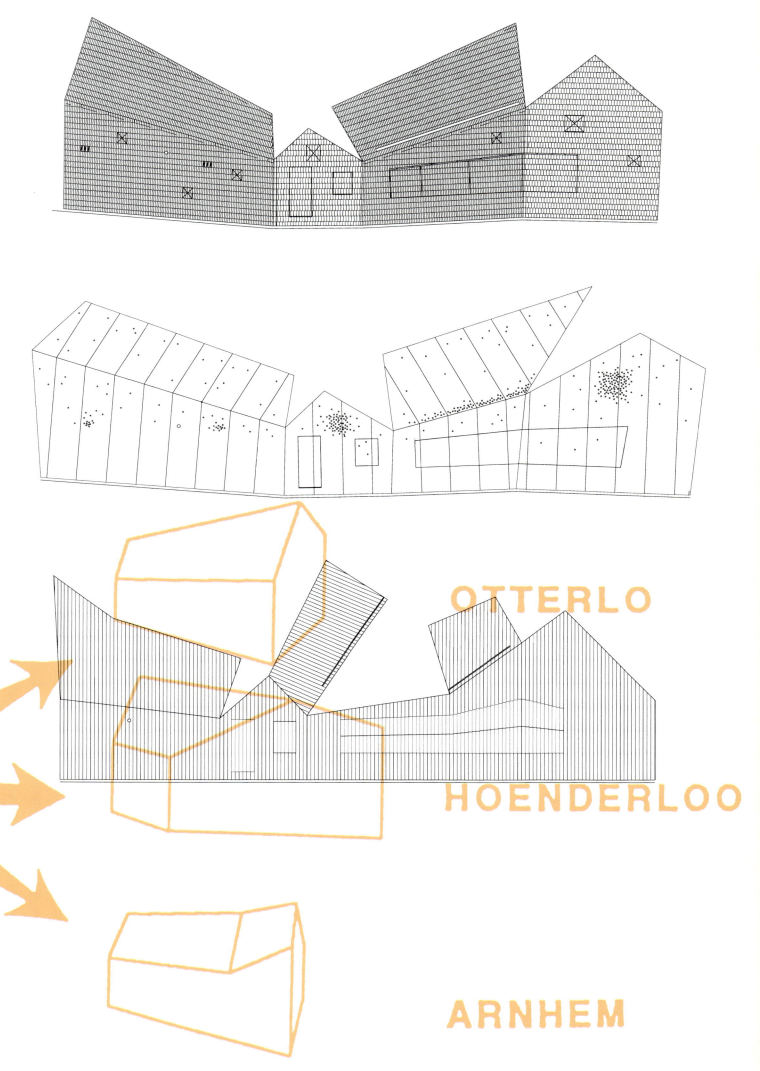

OTTERLO

HOENDERLOO

ARNHEM

119

De acuerdo con el deseo del parque nacional De Hoge Veluwe de tener una representación más contemporánea del "interior" del parque en la misma entrada del recinto, las tres casas de los guardas situadas a la entrada se han derivado de sus antecesores prototípicos y se han ajustado a tres condiciones de emplazamiento específicas. El prototipo de las casas existentes es una casa pequeña arquetípica. Hacia la carretera de entrada estas casitas prototípicas se han deformado y ampliado, introduciendo nuevos ángulos con el fin de tener una mejor perspectiva de las áreas de aparcamiento para bicicletas y coches. De esta manera se forman tres objetos escultóricos que combinan lo "normal" con lo "artístico".

Cada una de las casas está hecha en su totalidad de un material específico que representa una de las tres características principales del parque; naturaleza y caza (los orígenes del parque), cedro rojo; arte (el famoso museo y jardín de esculturas Kröller Müller se encuentra en el parque), acero Corten, y arquitectura (el castillo Sint Hubertus, de Berlage, el museo de Henry van der Velde y Quist), ladrillo y hormigón. Todos los materiales elegidos se usan en su estado natural y se van desgastando grandualmente con el paso del tiempo.

Para enfatizar las cualidades artificiales y objetuales de las casas se emplea el mismo material para todo el edificio, incluyendo los tejados, las contraventanas y las puertas. Los detalles hacen juego con la calidad física de los materiales. Todas las casas presentan perforaciones a través de las cuales pequeñas cantidades de luz pueden penetrar por las paredes al interior durante el día y hacia fuera durante la noche. Estas perforaciones son hendiduras, agujeros o puntos recubiertos con plexiglás.

Los interiores también están diseñados como un entorno único de un solo material. El interior de la casa de madera está hecho de contrachapado, en el interior de la casa de ladrillos las paredes son prefabricadas y de hormigón, mientras que la casa de acero Corten tiene tabiques "artificiales" pintados. El mobiliario ha sido diseñado como una banda continua de armarios y escritorios a lo largo de estas paredes. La altura y inclinación de los techos dan la impresión de amplitud a estos espacios relativamente pequeños.

In accordance with the desire of the National Park De Hoge Veluwe to have a more contemporary representation of the "interior" of the park at its entrances, the three entrance lodges have been derived from their prototypical predecessors and adjusted to the three specific site conditions.

The prototype of the existing porterís lodges is an archetypal small house. Overlooking the entrance road, these lodges are distorted and enlarged, and angles are introduced to give a better view of surrounding car and bicycle parking areas. In this way, three sculptural objects are created, combining the "everyday" and the "artistic".

Each of the lodges is made of one specific material, representing one of the three main characteristics of the park; nature and hunting (the parkís origins) with Western Red Cedar, art (the park houses the famous Kröller Müller Museum and sculpture garden) with Corten steel, and architecture (Sint Hubertus Castle by Berlage, the museum by Henry van der Velde and Quist) with brick and concrete.

All the chosen materials are used in their natural state and are gradually weathering under the influence of time. To emphasise the object-like, artificial quality of the lodges, the material is used all around the building, including the roofs, shutters and doors. Great detail is paid to all the physical qualities of the materials. All the lodges have perforations in the walls through which light can creep in during the day, and out in the evening. These perforations are splits, holes or pointwork filled with perspex.

The interiors are also designed as a total surrounding of one material. The interior of the wooden lodge is made of plywood, the interior of the brick lodge is prefabricated concrete walls, the Corten steel lodge has "artificial" painted panel walls inside. The furniture has been designed as a continuous band of cupboards ad desks along these walls. The high, angled ceilings give a sensation of spaciousness to a relatively small space.

Emplazamiento. Site **Parque nacional De Hoge Veluwe (Países Bajos)**
Arquitectos. Architects **Winy Maas, Jacob van Rijs, Nathalie de Vries** – Colaboradores. Collaborators **Joost Glissenaar, Elaine Didyk, Arjan Mulder, Jaap van Dijk** – Consultorías. Consultants **ABT Velp, DGMR Arnhem**
Constructora. Contractor **Aannemingsbedrijf Wolfswinkel bv, Hoenderloo**
Proyecto. Project **1994** – Ejecución. Construction **1995** – Fotografías. Photographs **Jordi Bernadó, René de Wit**

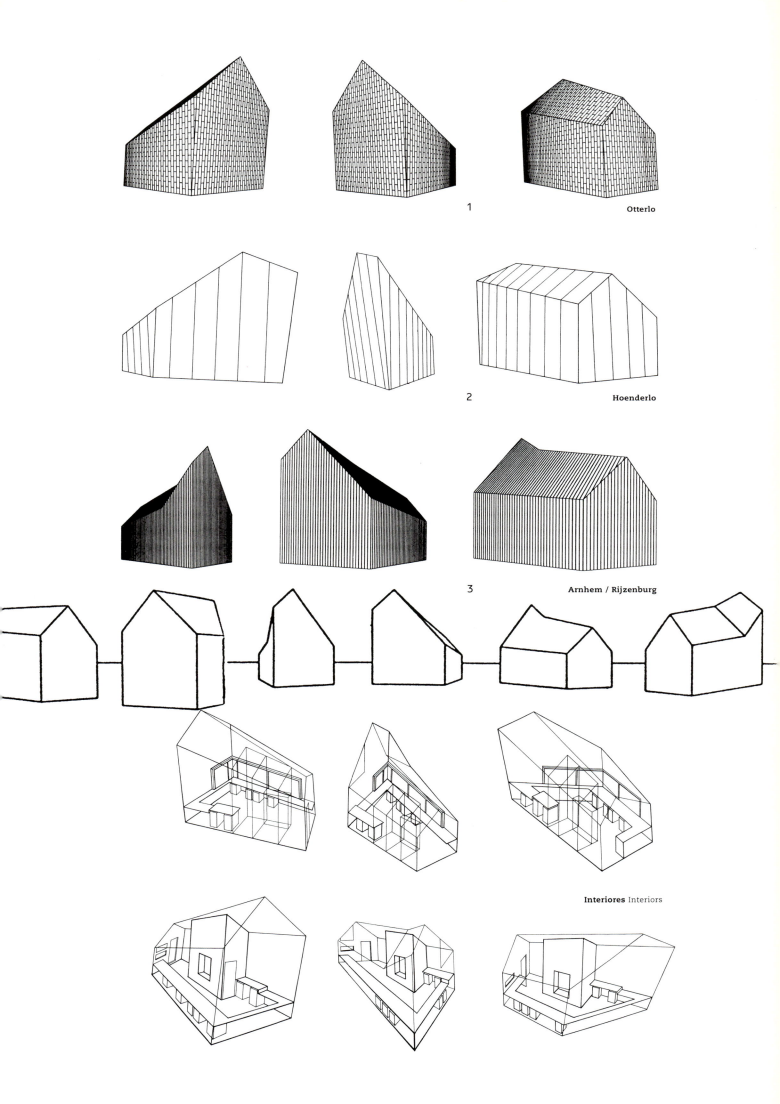

1   Otterlo

2   Hoenderlo

3   Arnhem / Rijzenburg

Interiores Interiors

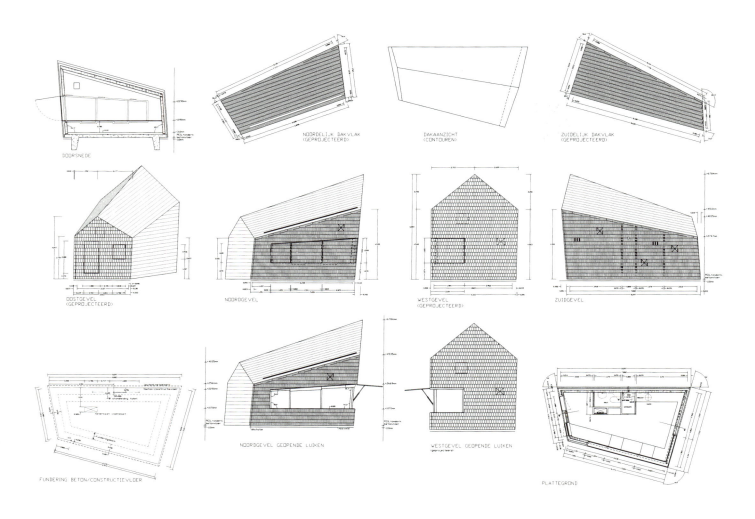

NOORDELIJK DAKVLAK
(GEPROJECTEERD)

DAKAANZICHT
(CONTOUREN)

ZUIDELIJK DAKVLAK
(GEPROJECTEERD)

DOORSNEDE

OOSTGEVEL
(GEPROJECTEERD)

NOORDGEVEL

WESTGEVEL
(GEPROJECTEERD)

ZUIDGEVEL

FUNDERING BETON/CONSTRUCTIEVLOER

NOORDGEVEL GEOPENDE LUIKEN

WESTGEVEL GEOPENDE LUIKEN

PLATTEGROND

122

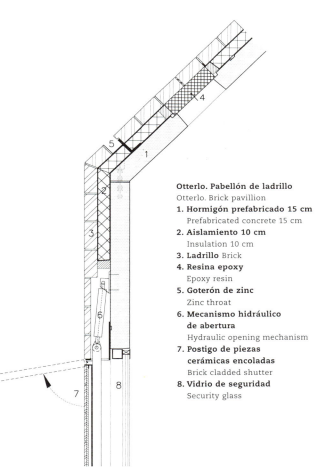

Otterlo. Pabellón de ladrillo
Otterlo. Brick pavillion
1. **Hormigón prefabricado 15 cm**
   Prefabricated concrete 15 cm
2. **Aislamiento 10 cm**
   Insulation 10 cm
3. **Ladrillo** Brick
4. **Resina epoxy**
   Epoxy resin
5. **Goterón de zinc**
   Zinc throat
6. **Mecanismo hidráulico
   de abertura**
   Hydraulic opening mechanism
7. **Postigo de piezas
   cerámicas encoladas**
   Brick cladded shutter
8. **Vidrio de seguridad**
   Security glass

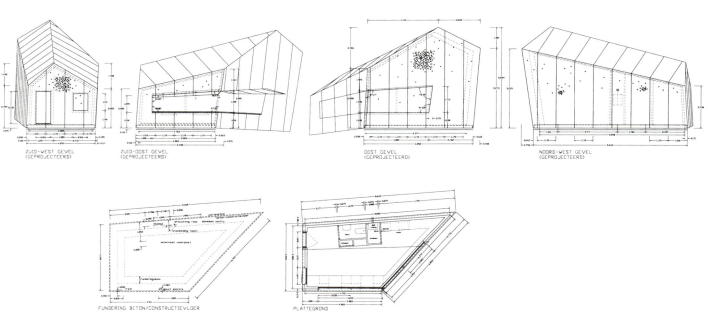

ZUID-WEST GEVEL
(GEPROJECTEERD)

ZUID-OOST GEVEL
(GEPROJECTEERD)

OOST GEVEL
(GEPROJECTEERD)

NOORD-WEST GEVEL
(GEPROJECTEERD)

FUNDERING BETON/CONSTRUCTIEVLOER

PLATTEGROND

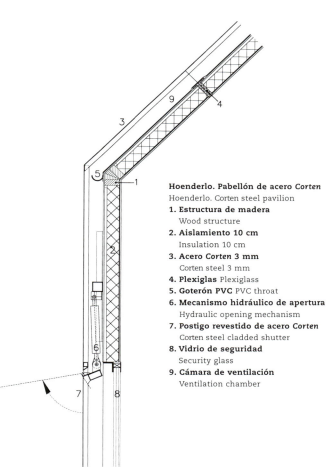

Hoenderlo. Pabellón de acero *Corten*
Hoenderlo. Corten steel pavilion
1. Estructura de madera
   Wood structure
2. Aislamiento 10 cm
   Insulation 10 cm
3. Acero *Corten* 3 mm
   Corten steel 3 mm
4. Plexiglas Plexiglass
5. Goterón PVC PVC throat
6. Mecanismo hidráulico de apertura
   Hydraulic opening mechanism
7. Postigo revestido de acero *Corten*
   Corten steel cladded shutter
8. Vidrio de seguridad
   Security glass
9. Cámara de ventilación
   Ventilation chamber

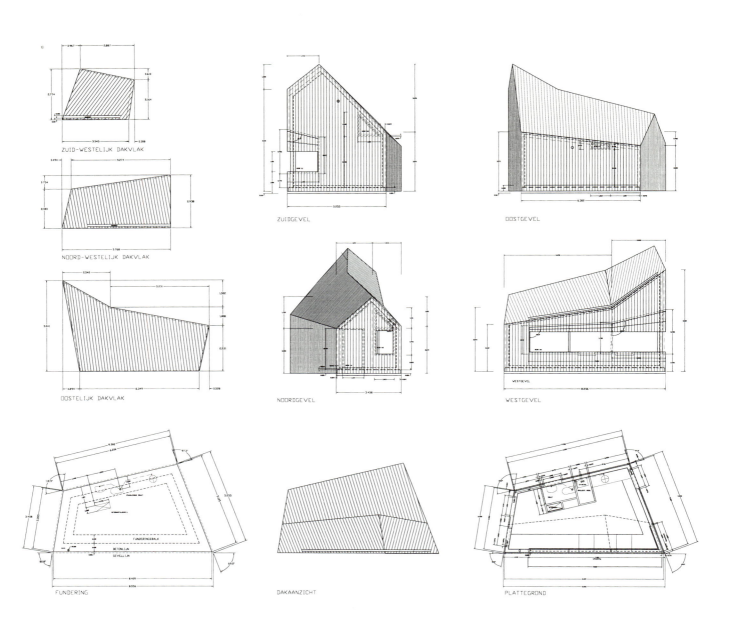

ZUID-WESTELIJK DAKVLAK

NOORD-WESTELIJK DAKVLAK

OOSTELIJK DAKVLAK

ZUIDGEVEL

NOORDGEVEL

OOSTGEVEL

WESTGEVEL

FUNDERING

DAKAANZICHT

PLATTEGROND

126

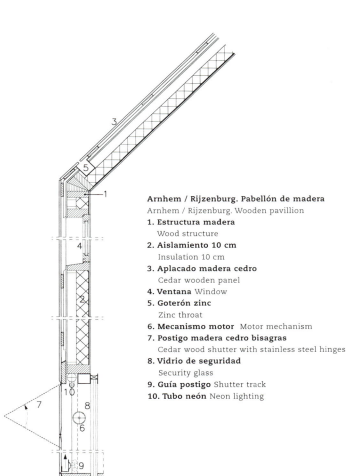

Arnhem / Rijzenburg. Pabellón de madera
Arnhem / Rijzenburg. Wooden pavillion
1. **Estructura madera**
   Wood structure
2. **Aislamiento 10 cm**
   Insulation 10 cm
3. **Aplacado madera cedro**
   Cedar wooden panel
4. **Ventana** Window
5. **Goterón zinc**
   Zinc throat
6. **Mecanismo motor** Motor mechanism
7. **Postigo madera cedro bisagras**
   Cedar wood shutter with stainless steel hinges
8. **Vidrio de seguridad**
   Security glass
9. **Guía postigo** Shutter track
10. **Tubo neón** Neon lighting

"Space is uncertainty: I have to constantly draw out its limits, define it; it never belongs to me, it never comes easily, I have to conquer it". Georges Perec

If one of our first actions on unknown things is to name them, then first we have to explain the origin of the strange name given to this box which encloses observation space. It comes from a distortion of the name of a hill near the site *(Guglhupf)*, or a typical Austrian cake for Sundays *(Gucklhupf)*, both of which refer in this contraction of the verbs *gucken* and *hüpfen*[1] to the action of watching, observing things from a consciously sought out location, hopping up and down in an attempt to find a better vantage point.

The *GucklHupf* emerged as one more activity in the framework of the 1993 Festival of the Regions, a regional initiative based on the organization of all kinds of cultural, artistic and architectural manifestations in northern Austria. During the summer months, a whole series of exhibitions, workshops, on-site interventions, musical spectacles, etc. were to deal with "strangeness" as a general theme for each performance. Using this concept, Wörndl decided to use the location of a plot of land belonging to a cousin of his beside the Mondsee lake to position a metaphorical object to serve as one interpretation more of the festival's leitmotif. The inherent tension between opposing poles –the strange versus the familiar, stillness versus movement, habitation or travel, the safety of the refuge of home versus the condition of distance of the home– were to be expressed by means of an object constructed in space. The pavilion was built by Wörndl himself and two collaborators, according to continually changing plans and some details which were decided as they went along. The purpose was not to achieve a final state but to create a live object which would remain in a state of permanent transformation after its supposed completion.

Although the local authorities had ensured Wörndl that, once its permanence as a sculptural element and space for exhibitions had been provisionally approved, the *GucklHupf* would be allowed to remain in place after the festival, they were pressed by the inhabitants of the area to revoke that decision. The *GucklHupf* was reclassified as a "building" and was therefore illegal according to current laws, and impossible to maintain. The ensuing discussions and debates among experts ended up coming before an administrative tribunal, which did not ultimately consider it necessary to sanction Wörndl in the case brought against him. Nonetheless, his argument was thrown out by the heritage commission, definitively sealing the fate of the *GucklHupf*.

A neighbouring community offered Wörndl an alternative site for his object. The author would have liked the *GucklHupf* to be transported by helicopter in this case, but finally decided to dismount it. For reasons of time and money, he did not feel disposed to continue with the controversy. With his consent, the builder who supplied and transported the material finally left the *GucklHupf* to the care of the truck drivers from the construction company. It is now waiting, disassembled, for the chance to be reconstructed in another landscape where it can once again set up a dialogue.

1. *Gucken:* to watch, observe *Hüpfen:* to hop

Taken from : "GucklHupf. Ein Zwischenbericht".
Hans Peter Wörndl. GucklHupf. Kunsthaus Bregenz, 1995

ARNO RITTER

"El espacio es incertidumbre; debo constantemente dibujar sus límites, definirlo; nunca me pertenece, nunca me es dado, debo conquistarlo". Georges Perec

Si una de las primeras acciones sobre las cosas desconocidas es nombrarlas, es necesario explicar primero el origen del extraño nombre que adquirió esta caja que encierra espacio para observar. Procede de la distorsión del nombre de una colina cercana al emplazamiento *(Guglhupf)*, o del de un pastel dominical típicamente austriaco *(Gucklhupf)*, y ambos hacen referencia, mediante la contracción de los verbos *gucken* y *hüpfen*,[1] a la acción de otear, de observar cosas desde una ubicación buscada conscientemente, como dando saltos para poder encontrar un mejor punto de vista.

El *GucklHupf* surgió como una actuación más en el marco del Festival de las Regiones de 1993, una iniciativa regional basada en la realización de todo tipo de manifestaciones culturales, artísticas o arquitectónicas en el norte de Austria. Durante los meses de verano, toda una serie de exposiciones, talleres, intervenciones sobre el lugar, espectáculos musicales, etc., debían abordar "lo extraño" como tema general para cada actuación.

A partir de este concepto, Wörndl decide aprovechar la ubicación de un solar de un primo suyo junto al lago Mondsee para colocar un objeto metafórico que sirviera como una interpretación más del *leitmotiv* del festival. La tensión inherente entre polos opuestos –lo extraño frente a lo familiar, la quietud frente al movimiento, habitar o viajar, la seguridad del refugio del hogar frente a la condición de lejanía del hogar– debía ser expresada a través de un objeto construido en el espacio.

El pabellón fue erigido por el propio Wörndl y dos colaboradores, a partir de unos planos que cambiaban continuamente y unos detalles que se concretaban sobre la marcha. No se trataba de alcanzar un estado final, sino de crear un objeto vivo, que permaneciera en estado de transformación permanente tras su supuesta finalización. A partir de estas premisas y en vista de los recursos disponibles, se improvisó mucho, se dejaron muchos detalles sin pulir y algunos de los problemas aparecidos durante el montaje quedaron aplazados hasta una futura resolución.

A pesar de que las autoridades locales habían asegurado a Wörndl que el *GucklHupf* –una vez aprobada con carácter provisional su permanencia como elemento escultórico y espacio para exposiciones– podría quedar en aquel lugar después del festival, los habitantes de la zona presionaron para revocar dicha decisión. El *GucklHupf* fue recalificado como "edificio" y, por lo tanto, ilegal según las ordenanzas vigentes e imposible de mantener. Las discusiones y los debates de los expertos que siguieron acabaron finalmente ante un tribunal administrativo que, de todas maneras, no consideró necesario sancionar a Wörndl en el pleito interpuesto en su contra. A pesar de ello, su postura fue rechazada por la comisión de patrimonio y, con ello, el destino del *GucklHupf* quedó sellado definitivamente.

Hubo otra comunidad vecina que ofreció a Wörndl un emplazamiento alternativo para su objeto. El autor deseaba en tal caso que el *GucklHupf* fuera transportado en helicóptero, pero finalmente se inclinó por la opción de desmontarlo. No se veía con ánimos suficientes para seguir con la polémica, por razones de tiempo y de dinero. Con su consentimiento, el constructor que proveyó y transportó el material acabó dejando el *GucklHupf* al cuidado de uno de los camioneros de la constructora. Actualmente aguarda, desmontado, poder ser reconstruido en otro paisaje con el que poder volver a dialogar.

1. *Gucken*: mirar, observar. *Hüpfen:* saltar.

Artículo extraído de: "GucklHupf. Ein Zwischenbericht".
Hans Peter Wörndl. GucklHupf. Kunsthaus Bregenz, 1995

HANS PETER WÖRNDL

GuckIHupf

El *GucklHupf* es un armazón cúbico de madera, de aproximadamente 4 x 6 x 7 metros, formado por la macla de tres cuadrados, recubierto de contrachapado de madera y acabado con un barniz para embarcaciones.

Se revela al paisaje a través de la manipulación de los paramentos móviles por parte de sus ocupantes. De forma similar a la percepción cinematográfica, el objeto guía y orienta secuencialmente la visión y el movimiento de sus ocupantes.

En el *GucklHupf*, la disposición del espacio y del plano varía continuamente. Girar, doblar, inclinarse o mover son principios a partir de los cuales se redefine continuamente el espacio. Hermético cuando permanece inmóvil, puede transformarse mediante el movimiento de los múltiples planos de chapado de madera en una disposición espacial abierta que se proyecta en el paisaje.

Como en la obra de Rudolph Schindler, que desarrolló numerosas obras a partir de planos bosquejados en obra y trabajados durante el mismo proceso de realización, también el *GucklHupf* fue como una acción experimental para Wörndl, conformándose como un continuo *work in progress*. El objeto se presentaba así como una experimentación inconclusa, siempre provisional, reforzada por medio de los cambios superficiales que provocaba el envejecimiento paulatino de los materiales.

(De Arno Ritter: "GucklHupf. Ein Zwischenbericht")

The GucklHupf is a cube-shaped wooden frame measuring approximately 4 x 6 x 7 metres, formed by the engagement of three squares clad with compregnated wood and finished with ship's varnish. Its occupants manipulate the mobile walls to reveal it to the landscape. In a way which is similar to cinematographic perception, the object guides and orientates its occupier's line of sight and movement in sequence. Inside the GucklHupf, the arrangement of space and the plane are constantly changing. Twisting, bending, slanting and moving are the basic principles in a continuous redefinition of space. Though hermetic when immobile, the movement of the various wooden planes turn it into an open, spatial mechanism which projects itself into the landscape.

Just as in the work of Rudolph Schindler, who made numerous works from on-site sketches, which were then worked through during the actual construction process, GucklHupf was also an experimental action for Wörndl, gradually creating itself as a continuous work in progress. Taking these as his premises, and bearing in mind the available resources, there was much improvisation, many details were left unpolished and some of the problems arising during assembly were put off for future resolution. In this way the object was presented as an unfinished, always provisional experiment, reinforced by the superficial changes brought about by the gradual ageing of the materials.

(De Arno Ritter : "GucklHupf. Ein Zwischenbericht")

1. **Planta niveles 1/2**
   Plan levels 1/2
2. **Planta niveles 3/4**
   Plan levels 3/4
3. **Alzado este**
   East elevation
4. **Alzado oeste**
   West elevation
5. **Sección A**
   Section A
6. **Sección B**
   Section B
7. **Alzado norte**
   North elevation
8. **Alzado sur**
   South elevation

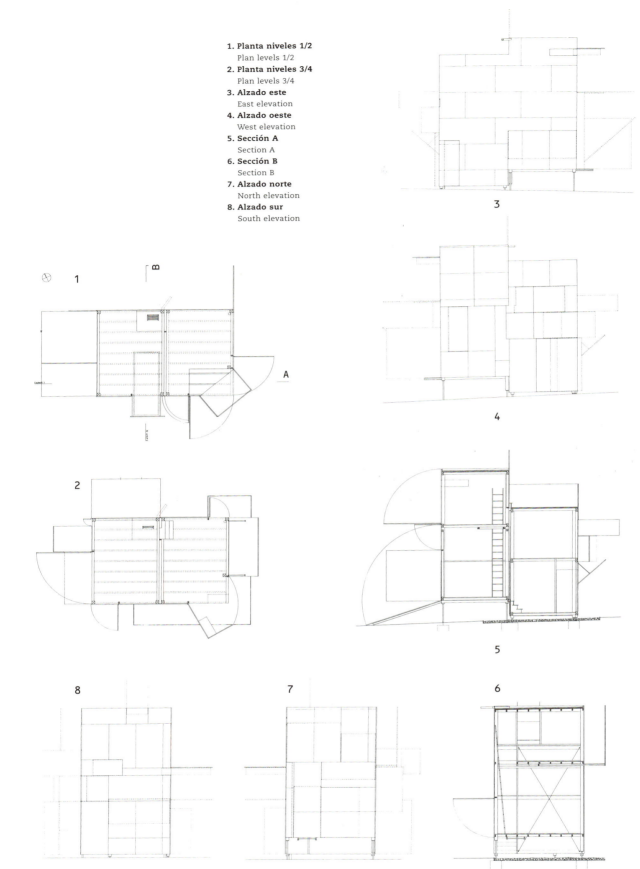

Emplazamiento. Site **Beim Guglhupfberg (Mondsee, Austria)** – Arquitecto. Architect **Hans Peter Wörndl**
Colaboradores. Collaborators **Claudia Dias, Christian Eppensteiner, Michael Karassowitsch, Anje Lehn, Richard Mlynek,**
Elisabeth Semmler – Proyecto. Project **1992** – Ejecución. Construction **1993** – Fotografías. Photographs **Paul Ott**

ANNE LACATON
JEAN PHILIPPE VASSAL

Cabaña
Straw hut

La casa se había construido sobre una de las pocas dunas de arena existentes en el lugar, especialmente ventilada por corrientes de aire fresco, siguiendo con los ejes del río, abajo y arriba de Niamey, a la otra orilla del Níger y a un kilómetro del pueblo de Saadia. Estaba formada por tres elementos: la choza para resguardarse, el patio vallado y el "cobertizo" para recibir y mirar. Orientada hacia Niamey, las luces de la noche bastaban para orientarse. La búsqueda y determinación del lugar duró seis meses y la construcción dos días. El viento tardó dos años en derrumbarla.

This house was built on one of the spot's rare sand dunes, well ventilated by cool breezes which blow up and downstream along the axes of the river from Niamey, on the other bank of the Niger, one kilometre from the village of Saadia. It was made of three elements: the straw hut to provide protection, the enclosure and the "shelter" for receiving guests and looking out. Overlooking Niamey, in the evening the lights of the town serve as bearings. The task of finding and deciding on the site took six months and construction two days. It took the wind two years to destroy it.

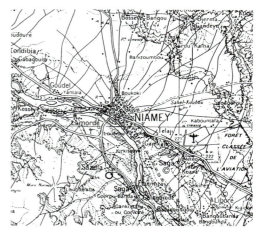

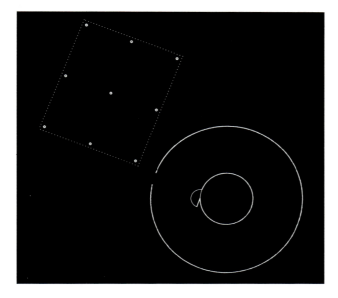

Emplazamiento. Site **Niamey (Nigeria)**
Arquitectos. Architects **Anne Lacaton, Jean Philippe Vassal**
Proyecto. Project **1993** – Ejecución. Construction **1993**
Fotografías. Photographs **Philippe Ruault, Jeanne-Marie Sens**

ANNE LACATON
JEAN PHILIPPE VASSAL

Casa
Latapie
House

Este proyecto responde al encargo de una vivienda de bajo presupuesto para una familia compuesta por una pareja y dos niños, situada en un barrio de viviendas unifamiliares en la periferia de Burdeos. La casa, inscrita en el perfil de la calle, es un volumen simple +de base cuadrada formado por una estructura metálica, cuya mitad, del lado de la calle, está recubierta por una piel opaca (placas de fibrocemento Eternit), y la otra, al lado del jardín, por una piel transparente (PVC transparente ondulado). Un volumen de madera insertado en el interior de la estructura, detrás del cerramiento opaco, ofrece un espacio de invierno, con aislamiento y calefacción. Se abre hacia el invernadero y hacia el exterior a la calle. Este volumen, de dos pisos de altura, tiene dos plantas libres adaptadas al modo de vida de la familia. Los cuartos de servicio —cocina, cuarto de baño, aseo, armarios— están concentrados en un volumen central. El invernadero está orientado al este, y capta los primeros rayos de sol. Está dotado de amplias aberturas de ventilación, de un sombrajo bajo la cubierta y de un sistema de calefacción para mantener una temperatura mínima o para permitir una ocupación más prolongada en invierno. Las fachadas este y oeste son muy móviles. Así la casa puede evolucionar desde lo más cerrado a lo más abierto, según las necesidades o deseos de luz, transparencia, intimidad, protección o ventilación. El espacio habitable de la casa varía de acuerdo con las estaciones, desde lo más reducido (salón-habitaciones) hasta lo más amplio, integrando todo el jardín en verano.

This project was the response to a commission for a dwelling on a low budget for a family formed by a couple and their two children. It stands in a scattered residential area in the inner suburbs of Bordeaux. The house takes its place in the profile of the street. It is a simple volume on a square base: metal framework with the road-side clad in an opaque skin (Eternit fibre-cement plaques) and the garden-side in a transparent skin (onduclair transparent PVC). A wooden volume wedged inside the framework beneath the opaque cladding defines an insulated, heated winter space which opens onto the greenhouse and the exterior on the road side. This volume, of two height floors, has two free surfaces adapted to the family's way of life. The service spaces —kitchen, bathroom, toilet, storage— are concentrated in a central volume. The greenhouse is exposed to the east and captures the first rays of light. It includes wide ventilation openings, with shade beneath the roof and a heating system to maintain a minimum temperature or to extend its use in the winter months. The east and west facades are very mobile: the house can be opened or closed up depending on the need and desire for light, transparency, privacy, protection or ventilation. The living space in the house varies according to the season, from smaller (living-bedrooms) to larger, taking in the whole garden in mid-summer.

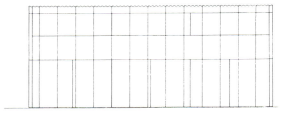

1

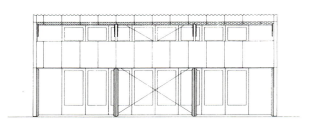

1. **Alzado calle (cerrado y con paneles fibrocemento abiertos)**
   Street elevation (with closed and open fibre-cement pannels)
2. **Alzado interior (cerrado y con paneles PVC abiertos)**
   Garden elevation (with closed and open PVC pannels)
3. **Planta baja**
   Ground floor
4. **Planta primera**
   First floor
5. **Sección transversal**
   Cross section

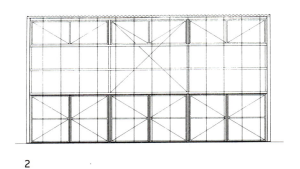

2

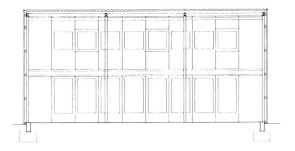

4

3

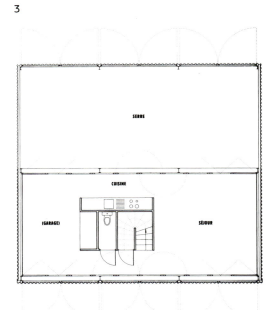

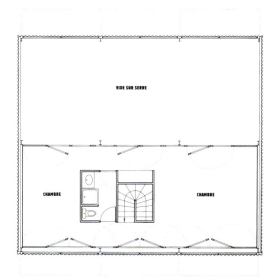

Emplazamiento. Site **Floriac (Bordeus, Francia)** – Arquitectos. Architects **Anne Lacaton, Jean Philippe Vassal** – Colaboradores. Collaborators **Sylvain Menaud** (Asistente. Assistant)
Pierre Yves Portier (Maqueta. Model) **CESMA** - Bordeaux, **SEAMP** - Bordeaux, **SEAMP** - Bordeaux (Ingeniero. Engineer) – Constructora. Contractor **STTB** – Proyecto. Project **1993** - Ejecución. Construction **1993**
Fotografías. Photographs **Philippe Ruault, Hubert Tonka & Jeanne-Marie Sens**

5

Waterloo, 1989

YVES BRUNIER
Narrador
Narrator

The work of Yves Brunier, a young French landscape architect who died not long ago, is an invitation to contemplate landscapes, spaces and projects in a new and unfamiliar way. Though Brunier's work was brought to an end all too soon —after only five years of intense activity— it reveals exceptional talent. Brunier built up extremely fruitful working relationships with various architects, in particular with Rem Koolhaas and Jean Nouvel, before carrying out his own projects in association with Isabelle Auricoste. The pictures and extracts of text published here are taken from the book *Yves Brunier* (1962-1991), published on the occasion of the exhibition of his work at the gallery/ architecture centre "arc en rêve" in Bordeaux.

Yves Brunier, joven paisajista, hoy desaparecido prematuramente, ha aportado al paisaje, al espacio y al proyecto arquitectónico una mirada fugaz pero intensa, atenta y curiosa, nueva y singular. Sus proyectos, interrumpidos demasiado pronto —cinco años escasos de vida profesional—, revelan un talento excepcional, manifestado en sus propios proyectos, en asociación con Isabelle Auricoste. Las imágenes y los fragmentos de los textos aquí reproducidos pertenecen al libro *Yves Brunier* (1962-1991), editado con ocasión de la exposición dedicada a su obra en la galería "arc en Rève" por el centro de arquitectura de Burdeos.

El tablero del cajón nunca toca ni se apoya en la roca, sino que se mantiene a una distancia que varía entre 20 y 120 centímetros en casi todos los puntos del trazado, por tanto, entre el tablero y la roca queda un espacio vacío, y es en él donde se coloca una protección horizontal que saliendo perpendicular al tablero queda en voladizo sin llegar a tocar la pared de roca. Ésta impide la caída al vacío y, al mismo tiempo, ayuda a producir una sensación de levitación en la pasarela.

The surface of the case never touches or rests on the rock; it keeps a distance of between 20 and 120 centimetres at almost every point in its course. This means that there is an empty space between the surface and the rock, in which a horizontal guard is placed, emerging perpendicular to the surface to form a projection without touching the rock face; this protection prevents anyone falling over and at the same time produces a sensation of levitation on the walkway.

SURCOS
Las formas del paisaje reciclado
The shapes of recycled landscape
Furrows

Reordenación del frente fluvial de Louisville Master planning and design of Louisville's waterfront

The last twenty-five yeas have brought about the emergence of an ecological approach to planning, the preservation and restoration of natural systems, and the notion of sustainable landscape. With increasing frequency the work of landscape architects deals with land which has been made and *re-made*.

The scale of projects is no longer relevant, from miles of urban riverway and hundreds of acres of waterfront or converted landfill at one end of the spectrum to a single city block or small courtyard at the other.

Through manipulation and amplification of environmental phenomena such as light, shadow, water, wind; residual environmental and industrial remnants, and topography and habitat, we strive to foster an awareness and understanding of the structural components of natural systems by direct interaction. This direct interaction is in contrast to the insular experience of a replication or restoration of "nature". The experience of these "built landscapes" may indeed be more real in their impact on people than landscapes of preservation or re-creation.

In other instances, these landscapes may accentuate past, present and future fusions of culture and environment. On many different scales, an abstract *archaeology* surfaces to embrace fragments of previous human use such as those *unearthed* on an abandoned industrial or agrarian site now converted to public use.

This archaeology may also reveal elements of wilderness or precultural dominance, or even the very forces which shape the earth.

Without erasure, beyond recall, and outside the walls of the museum, our connection with the land and landscape is exposed as the knotted bond it has been and will always be. Whether reductive or rich, highly programmed or passive, culturally interpretative or teeming with the phenomena of nature's own systems, these built landscapes seek the power of connection to our day-to-day lives.

Louisville Waterfront Master Plan
Louisville, Kentucky

This project entailed an urban framework design study, master planning and design for the development of 120 acres of Louisville's downtown public waterfront. The master planning effort involved development programming as well as conceptual and schematic design. Through an open and interactive public design process, a flexible and powerful master plan concept was developed –a concept that can be realized over time to guide new development–. The Master Plan creates a dialogue between city and river processes, redefining the context of the urban waterfront park and its relationship to traditional urban activity.

The centerpiece of the Master Plan is the 14-acre Great Lawn, which serves as an informal amphitheater and engages the river with a major public gathering space.

GEORGE HARGREAVES

Los últimos veinticinco años han desembocado en el surgimiento de un enfoque ecológico en la planificación, la conservación y la restauración de los sistemas naturales, así como de la noción de paisaje sostenible. El trabajo de los arquitectos paisajistas debe ocuparse cada vez con mayor frecuencia de terrenos que han sido hechos y rehechos. La escala de los proyectos ya no es relevante: puede ir desde la ribera kilométrica de un río que atraviesa una ciudad y cientos de hectáreas de fachada marítima o de un vertedero reconvertido, en un extremo del espectro, hasta una sola manzana urbana o un pequeño patio, en el extremo opuesto. *Mediante la manipulación y la amplificación de fenómenos ambientales como la luz, la sombra, el agua o el viento; restos industriales y residuos medioambientales, y la topografía y el hábitat, nos esforzamos por estimular la conciencia y la comprensión hacia los componentes estructurales de los sistemas naturales a través de la interacción directa.* Esta interacción directa contrasta con la experiencia aislada de una reproducción o una restauración de la "naturaleza". De hecho, la experiencia de estos "paisajes construidos" puede tener un impacto más real sobre la gente que los paisajes orientados a la conservación o la re-creación.

En otros casos, estos paisajes pueden acentuar las fusiones pasadas, presentes y futuras de la cultura y el medio ambiente. A escalas múltiples y diferentes, emerge una *arqueología* abstracta que abarca fragmentos de uso humano previo como los que se *descubren* en un yacimiento industrial o agrario abandonado que ahora queda reconvertido para el uso público. Esta arqueología también puede revelar elementos de naturaleza o de dominio precultural, o incluso las propias fuerzas que dan forma a la tierra. Sin borrones, más allá de la memoria y fuera de los muros del museo, nuestra conexión con el terreno y con el paisaje queda al descubierto como el vínculo nudoso que ha sido y que siempre será. Tanto si son reduccionistas como ricos, altamente programados o pasivos, culturalmente interpretativos o combinándose con los fenómenos de los propios sistemas de la naturaleza, estos paisajes construidos tratan de hallar el poder de conectarnos a nuestras vidas cotidianas.

Plan general para la fachada fluvial de Louisville
Louisville, Kentucky

Este proyecto conllevaba un estudio de planificación urbana, el plan general y el proyecto para el desarrollo de 50 ha de la fachada fluvial del centro de Louisville. El esfuerzo que representaba el plan general incluía tanto la programación del desarrollo como un proyecto conceptual y esquemático.

A través de un proceso proyectual público, interactivo y abierto, se desarrolló un concepto potente y flexible para el plan general que se puede ir ejecutando con el tiempo para guiar nuevos desarrollos. El plan general crea un diálogo entre los procesos de la ciudad y del río, y redefine el contexto del parque en la fachada fluvial urbana y su relación con la actividad urbana tradicional.

Emplazamiento. Site **Louisville (Kentucky, EEUU)**
Arquitectos paisajistas. Landscape architects **Hargreaves Associates**
Proyecto. Project **1988** – Ejecución. Construction. **1997**

The Great Lawn pulls the image of the river back into the heart of downtown and the consciousness of the city.
The Linear Park expresses natural and cultural phenomena specific to Louisville's past while reclaiming abandoned industrial lands for nature.
The design creates unique spaces for active and passive recreation and allows direct interaction between the landscape, the city and the Ohio.
The Waterfront Plan was developed with the coordination and review of city agencies such as Public Works, Downtown Development, Fire and Police, and Parks and Recreation, as well as state, county and federal agencies, including Highway and the U.S. Army Corps of Engineers. Private groups, too, reviewed the plan during public participation sessions and were enthusiastic supporters who matched the State of Kentucky grant of $13,000,000, allowing the 40-acre first phase of the plan.

Candlestick Point Cultural Park
San Francisco, California

Sponsored by the Office of the State Architect, the Department for Parks and Recreation, and the California Arts Council, this project was awarded in November of 1985 to a landscape architect (Hargreaves Associates), an architect (Mack Architects), and an artist (Doug Hollis). In selecting this team and establishing this collaborative effort, the sponsors began a process which takes a fresh approach to architecture, landscape and art.
It required the integration, rather than the separation, of related disciplines and set the stage for an uncharacteristic urban park.
The process required the development of a public survey and interaction with various community groups.
It also involved an extensive process of review by multiple agencies, including the Corps of Engineers, the Bay Conservation Development Commission, and the Water Quality Control Board.
The 18-acre site itself is highly expressive.
Located on the edge of the city, on landfill facing the San Francisco Bay, it is windswept and industrial.
Dominant elements include wind and water, views of ships and docks, and abundant evidence from the layers of fill below.
From these images a language of location was developed which is employed in the detailed articulation of the place: the dunes, the plane, the water.
The main entry to the park is through a "wind gate" that cuts through a mound.
The entry is positioned on the axis of the prevailing winds; the winds intensify the entry experience by blowing the participant into the park.
The entry walls have wind-activated organ pipes within them, announcing the arrival of wind and walkers.
A long inclined plane, bounded on each side by water channels, stretches out towards the Bay.
These channels bring the shoreline into the park, and in doing so amplify the experience both of tides and of the animals and plants dependent upon them.
The edges of the channels are built of rubble-filled gabions which outline and emphasize the tilt of the central grassy field.
A concrete walk further reinforces this geometry, culminating in a lookout.
A series of wind-dune forms create a number of wind-sheltered yet sun-filled areas in which people may choose to picnic or sit.

El eje del plan general lo constituyen las casi seis hectáreas del gran prado (*Great Lawn*), que actúa también como anfiteatro informal e implica al río con un gran espacio para actividades públicas multitudinarias. Este prado sitúa de nuevo la imagen del río en pleno centro —tanto físico como anímico— de la ciudad.
El parque lineal expresa fenómenos naturales y culturales específicos del pasado de Louisville, a la vez que recupera para la naturaleza terrenos industriales abandonados. El proyecto crea espacios singulares para el esparcimiento activo y pasivo y permite una interacción directa entre el paisaje, la ciudad y el río Ohio.
El plan para la fachada fluvial se desarrolló en coordinación y con el asesoramiento de distintas instituciones municipales, como los departamentos de obras públicas, de desarrollo del centro, de parques y esparcimiento y los cuerpos de bomberos y de policía, así como distintas instituciones del condado, estatales y federales, incluyendo el organismo responsable de las autopistas y el cuerpo de ingenieros del ejército. Varios grupos privados también examinaron el plan durante las sesiones abiertas a la participación del público y lo apoyaron con entusiasmo, hasta el punto de igualar la subvención de 13 millones de dólares otorgada por el estado de Kentucky, cifra con la que fue posible poner en marcha la primera fase, con el desarrollo de 16 ha del plan.

Candlestick Point Cultural Park
San Francisco, California

Patrocinado por la Office of the State Architect, el departamento de Parques y Ocio y el California Arts Council, este proyecto fue adjudicado a un equipo de arquitectos paisajistas (Hargreaves Associates), un arquitecto (Mack Architects) y un artista (Doug Hollis). Al seleccionar a este equipo y establecer este esfuerzo de colaboración, los patrocinadores empezaron un proceso que mira con nuevos ojos tanto la arquitectura como el paisaje y el arte. Fue necesario integrar —en lugar de separar— disciplinas afines y establecer un escenario para un parque urbano poco común.
Este proceso requirió la realización de una encuesta pública y la interacción con varios grupos de la comunidad. También conllevó un exhaustivo proceso de estudio por parte de distintas instituciones, incluyendo el cuerpo de ingenieros, la comisión de desarrollo para la conservación de la bahía y el consejo de control de la calidad del agua. El emplazamiento —de poco más de 7 ha— es altamente expresivo. Situado en el límite de la ciudad, en terreno ganado al mar ante la bahía de San Francisco, es industrial y se encuentra azotado por el viento.
A partir de estas imágenes se desarrolló un lenguaje del emplazamiento que se emplea en la detallada articulación del lugar: las dunas, el plano, el agua. La entrada principal del parque se efectúa a través de una "puerta de viento" que se abre camino por un montículo. Se sitúa en el eje de los vientos preponderantes; el viento intensifica la experiencia del acceso al impulsar al visitante hacia el interior del parque.
Las paredes de la entrada tienen en su interior tubos de órgano que se activan con el aire, anunciando la llegada del viento y de los caminantes. Un plano largo e inclinado, delimitado a ambos lados por canales de agua, se prolonga hasta la bahía.
Estos canales acercan la costa, amplificando la experiencia de las mareas y de las plantas y animales que dependen de ellas. Las orillas del canal están hechas de gaviones rellenos de escombros que perfilan y enfatizan la inclinación del campo central de césped. Un camino de hormigón refuerza aún más esta geometría y culmina en un mirador. Una serie de formas parecidas a dunas moldeadas por el viento crean áreas soleadas y protegidas del viento en las que los visitantes pueden sentarse o hacer picnics.

Candlestick Point Park
Emplazamiento. Site **San Francisco (California, EEUU)**
Arquitectos paisajistas. Landscape architects **Hargreaves Associates**
Colaboradores. Collaborators **Mark Mack** (Arquitecto. Architect),
Doug Hollis (Arista. Artist)**, Chin & Hensolt Engineers**
Proyecto. Project **1991** – Ejecución. Construction **1993**

Guadalupe River Park San Jose, California

The first imperative for this three-mile linear park through downtown San Jose, was to control floods as effectively as possible.
The Corps' original plan would simply have confined the river in a channel made of rip-rap and concrete, but the City of San Jose had broader goals for the project.
They wanted to control floods, create habitats for people and wildlife, transform the river into an amenity and contribute to the renaissance of downtown San Jose, creating a positive focal image for the city as a whole.
The entire project was modelled by computert to test potential flood flows.
Coordination with the Corps of Engineers was critical, because a flood control methodology was as crucial to the project's success as a strong design approach. The park evolved on two levels: The Underlay consists of the grading plan for the Flood Control channel itself, and provides the underlying structural spine for the design of the park. The Overlay consists of the plan for open spaces, the recreational opportunities and facilities to be developed along the channel over time.

Guadalupe Gardens, San Jose, California

This four-acre courtyard garden adjacent to Guadalupe River Park is the first to be built in a planned network of public gardens totalling over 200 acres near downtown San Jose. On land once residential, now reclaimed for public use because it fallls within the landing zone of the San Jose Airport, the project balances the growing need for parks within the city with a sensitivity to limited water supplies by relying on drought-tolerant plants.
Large earthforms mimic surrounding foothills, stretching like fingers into the center of the garden.
The playful pattern of the decomposed granite paths is reminiscent of the flow of the nearby Guadalupe River. Paths meander through the valleys, meet and intertwine like streams of a delta, spreading out in the form of an expanded fish net across a colorful plane of native annuals and perennials.
A grass-covered cone framed by curving hedges marks the center of the courtyard and becomes a focal point for passing motorists; it is a vantage point from which to see downtown San Jose and the foothills, and to view the gardens below.
The cone is aligned with the San Jose International Airport two miles away. As planes make their descent,

Guadalupe River Park, San Jose, California

El primer imperativo de este parque lineal de tres millas (4,8 km) que atraviesa el centro de San Jose consistía en controlar las riadas del modo más eficaz posible. El plan del cuerpo de ingenieros (del ejército) se habría limitado a encauzar el río en un canal hecho de ripio y hormigón, pero la ciudad de San Jose tenía objetivos más amplios para el proyecto. No sólo estaban interesados en controlar las riadas, sino que deseaban crear hábitats para la gente y la naturaleza, transformar el río en un lugar ameno y atractivo y contribuir a la regeneración del centro de San Jose, creando una imagen positiva para el conjunto de la ciudad. La totalidad del proyecto fue realizada por ordenador para poner a prueba las potenciales inundaciones. Un aspecto crucial fue la coordinación con el cuerpo de ingenieros, ya que la metodología para el control de las riadas era de suma importancia para abordar con éxito el proyecto. El parque evolucionó a dos niveles distintos: la capa subyacente consiste en el plan gradual para el propio canal de control de riadas y proporciona el esqueleto estructural básico para el proyecto del parque. El revestimiento, por otra parte, consiste en el plan de espacios abiertos y las instalaciones y servicios recreativos que deben desarrollarse con el tiempo a lo largo del canal.

Guadalupe Gardens, San Jose, California

El jardín adyacente al parque fluvial de Guadalupe, de 1,62 hectáreas de extensión, es el primero que debe construirse en una red de jardines públicos que está previsto que ocupen más de 80 hectáreas en total en los alrededores del centro de San Jose.
El proyecto ocupa terrenos antiguamente residenciales, que en la actualidad están destinados a uso público debido a que se hallan en la zona de aterrizaje del aeropuerto de San Jose, e intenta equilibrar la creciente necesidad de parques dentro de la ciudad con la sensibilidad hacia un suministro limitado de agua, ya que está basado en plantas tolerantes a la sequía.
Se han dispuesto grandes volúmenes que imitan las colinas circundantes, extendiéndose como dedos hacia el centro del jardín.
La estructura festiva de los senderos de granito descompuesto recuerda el curso del río Guadalupe, que discurre muy cerca del emplazamiento. Los senderos serpentean a través de los valles, se encuentran y se entrelazan como las corrientes de un delta, y se extienden siguiendo la forma de una red de pesca a través de un pintoresco plano de plantas locales de tipo anual y perenne.
Un cono cubierto de césped enmarcado por setos curvados marca el centro del jardín y se convierte en un centro de atención para los automovilistas que pasan por allí; constituye un mirador desde donde contemplar el centro de San Jose y las colinas circundantes, así como los jardines que se encuentran debajo. El cono está alineado respecto

Guadalupe River Park
Emplazamiento. Site **San Jose (California, EEUU)**
Arquitectos paisajistas. Landscape architects **Hargreaves Associates**
Colaboradores. Collaborators **Jones Partners** – Proyecto. Project **1996** – Ejecución. Construction **1997**

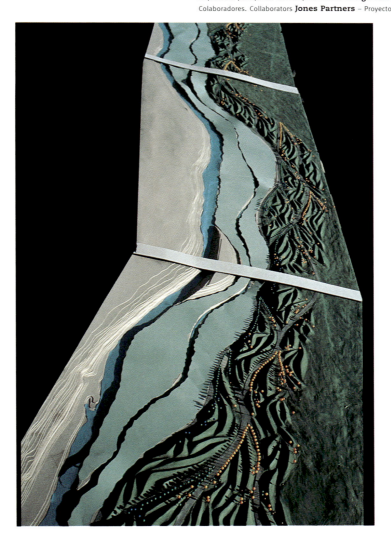

the cone becomes a beacon for arriving passengers. Four concrete walks form a cruciform, recalling the pattern of the once subdivided property. Participation of community garden clubs has been a key element in the park's completion and maintenance.

Parque do Tejo e Trancão
Lisbon, Portugal

This winning scheme in a design competition for a 160-acre environmental park supports a wide range of recreational and educational uses.
The project takes advantage of the stimulus provided by Expo '98 to redevelop a valuable, but long-abused, waterfront parcel of land directly adjacent to the Expo site in Lisbon.
The design seeks to transform the deteriorated site without erasing past uses −landfill, industrial production and waste treatment− to create a meaningful program of environmental education through direct participation.
In addition, an extensive program of recreational uses −a marina, festival plaza, play fields, golf course, equestrian facilities, tennis courts, volleyball courts, an amusement park, shops and cafes− are accommodated in the plan.
The sculptural manipulation of the land itself gives a character and a revelation of meaning to the shaping of the park. The landforms have a dual rationale, both functional and symbolic.
Functionally, the project had to accommodate 500.000 cubic yards of sediment from the dredging of the harbor.
The land began to take shape symbolically as a series of arched berms, or aeolian landforms, seemingly sculpted by the ever-present wind itself.
These metaphoric waves also recall the meeting of wind and water.
While the entire park is clearly man-made, the earthworks progress from a more natural expression at the river's edge to clearer manipulations further from the water, suggesting a logical distribution of program.
The Master Plan design incorporates an existing waste water treatment plant, mitigating the smells attendant to treatment processes through the use of an innovatory canopy design. In addition, tertiary treatment of waste water will be incorporated in the program; and marshes, wetlands, and wildlife habitats will resume their historic and ecological significance.
The marshes along the Tejo recreate the rich biota that exists at the edge where land and water meet; they are framed by arching piers that deflect sediment deposition around the inlets and allow people direct contact with the river and panoramic river views.
This project is not an attempt to heal the damaged site by returning it to its previous healthy condition, which would really be little more than a simulation of a forever-gone landscape.
Rather, the site is *recycled* for public amenity and use.
A place of conjunction between ecological ethics and sculptural form; and of vivid connection with land, water and sky, the park will be a memorable new landmark for Expo '98 and the people of Lisbon.

al aeropuerto internacional de San Jose, que está a unos tres kilómetros de distancia. Cuando los aviones efectúan su descenso, el cono se convierte en un faro para los pasajeros que llegan. Cuatro caminos de hormigón forman una estructura cruciforme y recuerdan la antigua subdivisión de la propiedad. La participación de las asociaciones de jardinería de la comunidad ha sido un elemento clave para completar y mantener el parque.

Parque do Tejo e Trancão
Lisboa, Portugal

El presente plan −ganador del concurso para proyectar un parque medioambiental de unas 65 hectáreas− contiene una amplia gama de usos educativos y recreativos.
El proyecto aprovecha el impulso que representa la Expo '98 para desarrollar de nuevo una valiosa fachada fluvial (de la que, no obstante, se ha abusado durante largo tiempo) que ocupa un terreno directamente adyacente al emplazamiento de la Expo, en Lisboa.
El proyecto pretende transformar este lugar deteriorado sin borrar sus usos pasados −vertedero, producción industrial y tratamiento de residuos−, con el objeto de crear un programa significativo de sensibilización medioambiental a través de la participación directa de los visitantes. Además, el plan incluye un extenso programa de usos recreativos: un puerto deportivo, un espacio para festivales, campos de juego, un campo de golf, equipamientos ecuestres, pistas de tenis, campos de balonvolea, un parque de atracciones, tiendas y cafés.
La manipulación escultórica del propio terreno otorga carácter y significado a la forma que adopta el parque.
Las formas del terreno presentan una doble lógica, tanto funcional como simbólica. Funcionalmente, el proyecto debía acomodar unos 400.000 m³ de sedimento proveniente del dragado del puerto.
El terreno empezó a tomar forma simbólicamente como una serie de bermas en forma de arco, o formas eólicas aparentemente esculpidas por el propio viento, siempre presente. Estas olas metafóricas también evocan el encuentro entre agua y viento.
Mientras que el parque en su totalidad está claramente realizado por el hombre, los terraplenes evolucionan desde una expresión más natural en la ribera hasta convertirse en manipulaciones más claras a medida que se apartan del agua, con lo que sugieren una distribución lógica del programa. El plan general incorpora una planta existente de tratamiento de aguas residuales, pero los olores que conllevan los procesos de tratamiento quedan mitigados gracias al empleo de un diseño innovador para la cubierta. Además, al programa se incorporará el tratamiento terciario de las aguas residuales, y las marismas, pantanos y el hábitat natural recuperarán su significación histórica y ecológica. Las marismas que se encuentran a lo largo del Tajo recrean la rica biota de las riberas, donde confluyen el agua con la tierra; se encuentran enmarcadas por muelles en forma de arco que desvían la sedimentación alrededor de los brazos del río y permiten que los visitantes estén en contacto directo con el río y con las vistas panorámicas que éste ofrece. El proyecto no es un intento de cicatrizar un emplazamiento deteriorado a través de una recuperación de las condiciones saludables que lo habían caracterizado anteriormente, cosa que realmente habría sido poco más que una simulación de un paisaje que ha desaparecido para siempre. Lo que se propone, por el contrario, es *reciclar* el emplazamiento para el uso y la recreación del público. Es un lugar donde confluye la ética ecológica con la forma escultórica, y donde tiene lugar una vívida conexión entre tierra, agua y cielo. El parque será un nuevo y memorable punto de referencia para la Expo '98 y para los ciudadanos de Lisboa.

Parque do Tejo e Trançâo
Emplazamiento. Site **Lisboa (Portugal)**
Arquitectos paisajistas. Landscape architects **Hargreaves Associates**
Colaboradores. Collaborators **PROAP** (Arquitectos paisajistas. Landscape architects)
Proyecto. Project **1988** - Ejecución. Construction **1994** (en construcción. under construction)

La ciudad
de las **1000** geografías

The City of a 1000 geographies

VICENTE GUALLART

It is intended, here:

To acknowledge the need to analyze and plan a new inhabitable territory, beyond the known urban environment.

To put forward a system of analysis which might enable this territory to be known (with the aid of Chinese culture).

To discover representational systems for that new territory (with the aid of fractal geometry).

To represent the real inhabitable world from the virtual world; to give a virtual representation of a real city.

During the 21st century a process initiated during the Renaissance will be reversed, a process in which man tended to live by being concentrated in cities. The development of physical transport (the car, train, airplane) and telecommunications networks ultimately renders any point on the planet equally as good for living and working in. City or countryside.

If building in the cities requires analysis of the setting, the same holds true for building in non-cities.

All analysis requires a representational procedure. But it is not, now, a question of drawing urban textures, traffic flows, uses, sections of street, frontages, but of analyzing the shapes of mountains, watercourses, winds, the amount of sun, open spaces, vegetation, transport systems...

"There is in Chinese tradition a science, geomancy, entrusted with determining the correct siting of cities and houses in the landscape.

On the one hand geomancy employs a theoretical model which reflects the organization of the world, and on the other an analytical model which allows for particular scrutiny of the setting, and furthermore determines a system of correspondences which enhance any arrangement and enable the space of representation, the plan, and the lived space to be combined. The combined articulation of all these models would seem to guarantee continuity within architectural thinking: between world and habitat, nature and culture, setting and building, group and individual...

... in traditional Far-Eastern thought there is an appreciation of the "absence of dichotomy between nature and culture, of taking account of the environment in a globalizing manner, be it natural site or urban center. In opposition to fixed architectural models (orders, types), geomancy prefigures the bringing into play of a conceptual mode which remains open".

Our most proximate physical environment, then, the Penedés vineyards, the flatlands of Zamora or the cork oak woods of Badajoz, which are about to be tampered with by the forces of history and the economy, have to be analyzed in such a way. Motorways cross a territory agriculturally manipulated by man or bordering natural spaces, which are now the green belts of the inhabited territory. The motorways which cross the territory are the avenues of a new city which does not have limits. Its construction in the landscape is realized by sectioning up the land and revealing the internal structure of the territory.

Aquí se pretende:

Reconocer **la necesidad de analizar y proyectar un nuevo territorio habitable, más allá del conocido entorno urbano.**

Proponer **un sistema de análisis que permita conocer este territorio** (con la ayuda de la cultura china).

Descubrir **sistemas de representación de ese nuevo territorio** (con la ayuda de la geometría fractal).

Representar **el mundo real habitable desde el mundo virtual; mostrar una representación virtual de una ciudad real.**

Durante el siglo XXI se invertirá un proceso, que se inició en el Renacimiento, en el cual los hombres tendían a concentrarse en ciudades para vivir.

El desarrollo de las redes físicas de transporte (automóvil, tren, avión) y de las redes telemáticas permite que cualquier punto del planeta sea bueno para vivir y trabajar. Ciudad y campo.

Si construir en las ciudades requiere un análisis del lugar, construir en las no ciudades requiere un proceso de análisis similar. Y todo análisis requiere un proceso de representación.

Pero aquí ya no se trata de dibujar tramas urbanas, tráficos, flujos, usos, secciones de calles, fachadas..., sino de analizar las montañas, sus perfiles, los cursos del agua, los vientos, el soleamiento, los espacios libres, las vistas, la vegetación, las vías de transporte...

"En la tradición china existe una ciencia, la *geomancia*, encargada de determinar el adecuado emplazamiento de las ciudades y de la vivienda en el paisaje.

En la *geomancia* se desarrolla, por una parte, un modelo teórico que refleja la organización del mundo y, por otra, un modelo analítico que permite la observación concreta de los lugares, además de determinar un sistema de correspondencia que sirve a la composición y permite la combinación entre espacio de representación, proyecto y espacio vivido.

La articulación de todos estos modelos entre sí parece asegurar la continuidad del pensamiento arquitectónico: del mundo al hábitat, de la naturaleza a la cultura, del lugar al edificio, del grupo al individuo...

...En el pensamiento tradicional del Extremo Oriente se aprecia la 'ausencia de dicotomía entre naturaleza y cultura, ya que contempla el entorno globalmente, sitio natural o medio urbano'. En oposición a los modelos arquitectónicos fijos (órdenes, tipos...), la geomancia prefigura una regla de juego de un modo de concepción que permanece abierto."

Así, nuestro entorno físico más próximo –los viñedos del Penedés, los llanos de Zamora o los alcornocales de Badajoz, a punto de ser manipulados por las fuerzas de la historia y de la economía– debería ser analizado de una manera similar.

Las autopistas cruzan un territorio modificado por el hombre mediante la agricultura o bordeando espacios naturales, que son ahora las zonas verdes del territorio habitado. Estas autopistas son las avenidas de una nueva ciudad que no tiene límites.

Las formas del dragón. Categorías positivas o negativas para la elección de los lugares
The shapes of the dragon. Lucky or unlucky categories on the choice of the sites

The streets no longer pass between the fronts of buildings but between stratified masses.

Man has 'urbanized' the territory for centuries by means of agriculture, creating systems of irrigation and forming plantations according to geometrical laws.

He has denatured natural spaces by means of the planting of natural elements.

The distance at which the various trees or plants are planted depends on both the size of the given crop and the systems of harvesting used.

In mountainous terrain the slopes have been converted into finite elements through the building of terraces. In difficult climates the use of hothouses permits the particular conditions of the location to be overcome, creating light constructions which contain within them micro-climates imported from other latitudes.

Agriculture is industrialized.

The landscape is urbanized.

The spectacle of nature and that of the city are now comparable.

If in China nature is drawn with a brush in black and white, simultaneusly representing the plant and its elevation, our own means are now different.

Only what can be represented can be constructed.

Architecture has traditionally utilized Euclidean geometry, which represents pure volumes, definable by the use of equations. Using it, one can describe smooth surfaces and regular forms.

But natural objects like mountains have irregular and fragmentary qualities.

Natural models can be realistically described using the methods of fractal geometry, in which processes and equations are employed.

A fractal object has two basic characteristics: infinite detail at any one point and a certain auto-similitude between the parts of the objects and the total characteristics of same.

Processes and not equations

Processes which enable the visualized object to be represented at varying distances and with the same degree of detail. And also which enable things to be analyzed and represented over time.

Fractal methods have proved useful in molding types of terrain, clouds, water, trees and other plants.

Fractal patterns have been found in the behavior of stars, meandering water, variations in stock exchange prices, traffic flows, the use of urban property...

Processes and not final outcomes

One of the consequences of the infinite detail of a fractal object is that it does not have a definitive size.

Hence software, responsible for the loss of centrality of cities, is the only thing which permits us to represent the new reality of this inhabitable world.

Represented thus, nature is now re-edifiable by man.

The world is converted, then, in an inhabitable environment, in the city of a thousand geographies...

Quotations taken from:
CLÉMENT Sophie, CLÉMENT Pierre & YONG-HAK Shin, *Architecture du paysage en Extreme-Orient* [Far-Eastern Landscape Architecture], École Nationale Supérieure des Beaux-Arts, Paris, 1987.
HERAN Donald & BAKER M. Pauline, *Graphics by computer*, Prentice-Hall, 1994.

Su construcción en el paisaje se realiza seccionando la tierra y mostrando su naturaleza interna. Las calles ya no discurren entre fachadas, sino entre masas estratificadas.

Por medio de la agricultura el hombre ha "urbanizado" durante siglos el territorio, creando sistemas de regadíos y realizando plantaciones de acuerdo con las leyes geométricas.

Ha desnaturalizado los espacios naturales mediante la plantación de elementos naturales. La distancia a la que se plantan los diversos árboles o plantas depende tanto del tamaño del propio cultivo como de los sistemas de recolección empleados. Cada cultivo produce una textura y un color sobre el territorio. En terrenos montañosos, las pendientes han sido convertidas en elementos finitos con la construcción de bancales. En climas duros, el uso de invernaderos permite superar las condiciones propias del lugar creando construcciones ligeras que contienen microclimas importados de otras latitudes. La agricultura se industrializa. El paisaje se urbaniza. El espectáculo de la naturaleza y el de la ciudad son ahora comparables.

Si en China se dibujó la naturaleza con pincel, en blanco y negro, representando simultáneamente planta y alzado, ahora nuestros medios son otros.

Sólo se puede construir lo que se puede representar.

La arquitectura ha utilizado tradicionalmente la geometría euclidiana, que representa volúmenes puros definibles con ecuaciones. Con ella se describen superficies lisas y formas regulares. Pero los elementos de la naturaleza, como las montañas, tienen características irregulares y fragmentadas.

Los modelos naturales pueden describirse con realismo utilizando los métodos de la geometría fractal, que se sirve de procedimientos y ecuaciones. Un objeto fractal tiene dos características básicas: infinito detalle en cada punto y cierta autosimilitud entre las partes del objeto y las características totales del mismo.

Procesos y no ecuaciones

Procesos que permitien representar el objeto visualizado a diferentes distancias con el mismo grado de detalle. Y que también permiten analizar y representar las cosas a lo largo del tiempo. Los métodos fractales han demostrado ser útiles para moldear terrenos, nubes, agua, árboles y otras plantas. Los patrones fractales se han encontrado en el comportamiento de las estrellas, los meandros, las variaciones de la bolsa de valores, el flujo del tránsito, el uso de la propiedad urbana...

Procesos y no sucesos

Una de las consecuencias del detalle infinito de un objeto fractal es que no tiene un tamaño definitivo.

Y así el *software*, responsable de la pérdida de centralidad de las ciudades, es el único que nos permite representar esta nueva realidad del mundo habitable.

La naturaleza así representada es ahora reconstruible por el hombre. El mundo se convierte en un entorno habitable, en la ciudad de las 1.000 geografías...

Citas extraídas de:
CLÉMENT Sophie, CLÉMENT Pierre y YONG-HAK Shin: *Architecture du paysage en Extreme-Orient*, École Nationale Superieur des Beaux-Arts, París, 1987.
HERAN Donald y BAKER M. Pauline: *Gráficas por computadora*, ed. Prentice Hall, 1994.

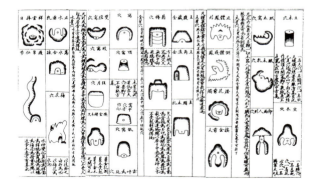

Quaderns

Director Manuel Gausa
Editor

Redacción Jaime Salazar, Jordi Bernadó, Oleguer Gelpí,
Editorial Staff Brigitte Hübner, Florence Raveau

Diseño Gráfico Ramon Prat
Graphic Design

Colaboradores Dolors Soriano, Rosa Lladó, David Lorente,
Collaborators Montse Sagarra, Oriol Rigat, Sebastià Sanchez

Secretaria y administración Marta Sastre
Editorial Secretary and Administration

Colaboradores exteriores Anna Puyuelo (Tokyo), Paolo Belloni (Bergamo),
External Collaborators Ada Yvars (London), Panos Mantziaras (Atenas), Thomas Weckerle (Zurich)
Joachim Staudt, Santi Ibarra (Berlin), Marta Bacquelaine (New York)

Producción Font i Prat Associats, SL
Production

Gestión y realización PRAGA SCP
Management

Traducción Joaquina Ballarín, Joaquín Belsa, Elaine Fradley, Teresa Guilleumas, Paul Hammond, Alain Hidoine,
Translators Victor Obiols, Oriol Pallarés, Jordi Palou, Philippe Rouyau, Abdy J. Shama-Levi, Mark Waudby

Redacción Plaça Nova 5, 08002 Barcelona
Editorial Offices Tel (93) 306 78 18 Fax (93) 412 00 68 e-mail quaderns@coac.es

Distribución Actar
Distribution Cristina Lladó, Anna Tetas
Roca i Batlle 2-4, 08023 Barcelona
Tel (93) 418 77 59 Fax (93) 418 67 07

Subscripciones (4 números) Font i Prat Associats
Subscriptions (4 issues) Roca i Batlle 2-4, 08023 Barcelona
Tel (93) 417 49 93 Fax (93) 418 67 07 e-mail arquitec@actar.es

Precio ejemplar España: 2.900 PTA (IVA incl.)
Price per copy Extranjero: 3.400 PTA

Publicidad CIC, Centro Informativo de la Construcción
Advertising Aribau 185, 3.2 08021 Barcelona
Tel (93) 209 80 22 Fax (93) 209 69 19

Impresión Ingoprint SA
Printing

Depósito Legal B.1698-97
ISSN 0211-9595

Difusión controlada por **ojð**

Los criterios expuestos en los diversos artículos de este número son de la exclusiva responsabilidad de sus autores y no reflejan necesariamente los que pueda tener la dirección de la revista. *Quaderns d'Arquitectura i Urbanisme* autoriza la reproducción total o parcial de sus textos y originales gráficos siempre que se nombre su procedencia. La dirección de la revista se reserva el derecho de publicación de cualquier original solicitado. Las reclamaciones sobre la recepción de los números de *Quaderns* caducan a los cuatro meses de su aparición. Cumpliendo lo dispuesto en los artículos 21 y 24 de la "Ley de Prensa e Imprenta", el Col·legi d'Arquitectes de Catalunya pone en conocimiento de los lectores los siguientes datos:

Printed and bound in the European Union

ARCE ASOCIACION DE REVISTAS CULTURALES DE ESPAÑA